Rédaction : Suzanne Agnely et Jean Barraud,
assistés de J. Bonhomme, N. Chassériau et L. Aubert-Audigier.
Iconographie : A.-M. Moyse, assistée de N. Orlando.
Mise en pages : E. Riffe, d'après une maquette de H. Serres-Cousiné.
Correction : L. Petithory, B. Dauphin, P. Aristide.
Cartes : D. Horvath.

© *Librairie Larousse. Dépôt légal 1978-3ᵉ — Nᵒ de série Éditeur 12214.*
Imprimé en France par Jean Didier, Strasbourg (Printed in France).
Librairie Larousse (Canada) limitée, propriétaire pour le Canada
des droits d'auteur et des marques de commerce Larousse.
Distributeur exclusif pour le Canada : les Éditions françaises Inc.
licencié quant aux droits d'auteur et usager inscrit des marques pour le Canada.

Iconographie : tous droits réservés à A. D. A. G. P. et S. P. A. D. E. M.
pour les œuvres artistiques de leurs adhérents.
ISBN 2-03-252125-3.

le Venezuela

la Guyana   le Surinam

l'Amérique du Sud atlantique

la Guyane française

le Brésil   l'Argentine

l'Uruguay

Librairie Larousse

17, rue du Montparnasse, 75006 Paris.

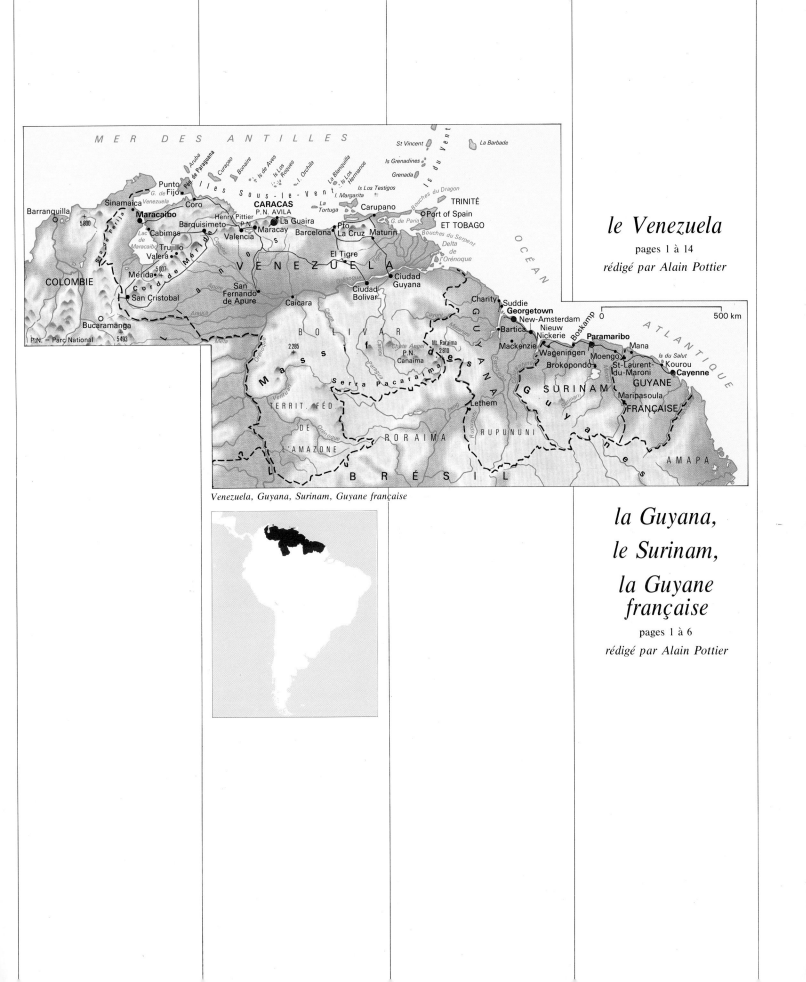

MER DES ANTILLES

St Vincent · La Barbade

Aruba · Curaçao · Bonaire · Is de Aves · Is Los Roques · I. Orchila

Pén. de Paraguana
Is Grenadines
Grenada
Is du Vent

La Blanquilla · Is Los Hermanos
Is Los Testigos
I. Margarita

Punto Fijo
G. de Fijo
Golfe du Venezuela

Barranquilla

Sinamaica
Coro
Maracaibo
Barquisimeto
Cabimas
Lac de Maracaibo
Trujillo
Valera

CARACAS
P.N. AVILA
Henry Pittier
P.N.
La Guaira
Maracay
Valencia

Carupano
G. de Paria

TRINITÉ
ET TOBAGO
Port of Spain

Bouches du Dragon

Pto
La Cruz
Barcelona
Maturin

Bouches du Serpent
Delta de l'Orénoque

Mérida
5007
Cord de Mérida
San Cristobal

El Tigre

V E N E Z U E L A

Ciudad Guyana

COLOMBIE
5800

San Fernando de Apure

Caicara

Ciudad Bolivar

OCÉAN

Charity · Suddie
Georgetown
Bartica
New-Amsterdam
Nieuw Nickerie
Boskamp
ATLANTIQUE

Bucaramanga
5493
P.N. = Parc National

B O L I V A R

Ml. Roraima
2810
P.N. Canaima
Chute Angel

2285

Mackenzie
Wageningen
Brokopondo
Moengo
St-Laurent-du-Maroni
Mana
Is du Salut
Kourou
Cayenne

Paramaribo

G U Y A N A

S U R I N A M

GUYANE
FRANÇAISE

Maripasoula

500 km
0

Serra Pacaraima

M a s s

TERRIT. FÉD
DE
L'AMAZONE

R O R A I M A

RUPUNUNI

Lethem

G u y a n e s

B R É S I L

A M A P A

Venezuela, Guyana, Surinam, Guyane française

le Venezuela
pages 1 à 14
rédigé par Alain Pottier

la Guyana,
le Surinam,
la Guyane
française
pages 1 à 6
rédigé par Alain Pottier

Brésil

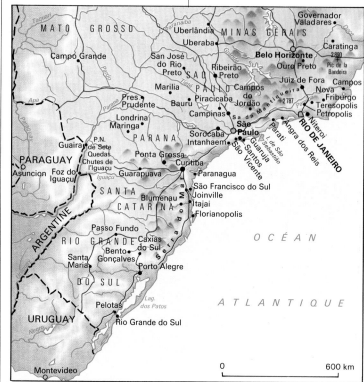

Brésil (Sud)

le Brésil

pages 1 à 40

rédigé par Philippe Nourry

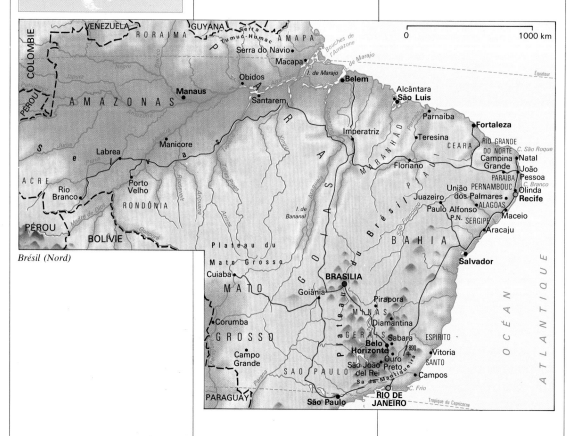

Brésil (Nord)

l'*Argentine*
pages 1 à 20

l'Uruguay
page 19

rédigé par Philippe Nourry

Argentine, Uruguay

le Venezuela

Au centre des souvenirs du Vénézuélien d'aujourd'hui, un personnage historique : Simón Bolívar. En 1810, l'invasion française en Espagne rend propice la cristallisation dans la capitale du Venezuela, Caracas, des velléités d'émancipation qui commençaient à fermenter dans tout le continent sud-américain. Le général Francisco Miranda est le précurseur de l'indépendance. Simón Bolívar est le génie qui réalise cette œuvre gigantesque, la création de cinq nations : Pérou, Bolivie — à laquelle il donne son nom —, Équateur, Colombie et Venezuela.

Mais la Grande-Colombie, ensemble historique et social cohérent, fondé en 1819, devait se déchirer lentement, pour une histoire de frontière entre la Colombie et le Pérou. Maintenant encore, les Vénézuéliens n'en considèrent pas moins Simón Bolívar comme «le Libéra-

teur» (el Libertador), et son nom est associé à l'avenir : l'Avenida Bolívar, enjambée par les gratte-ciel jumeaux du Centro Bolívar, extraordinaire réalisation d'architecture moderne, est le centre de la capitale, de son réseau compliqué d'autoroutes superposées, entrelacées, reliées par d'innombrables échangeurs, et de sa forêt de gratte-ciel géants, qui se profilent sur les collines environnant la cité d'un bout à l'autre de ses 20 km de long.

Il serait vain de chercher un support consistant à l'histoire au pied de ces constructions monumentales, car il ne reste pratiquement rien de la vieille ville coloniale, en dehors de la petite église Santa Teresa et du Panteón Nacional, qui conserve la dépouille du Libérateur. Tout le reste, hormis quelques rares maisons andalouses à la façade peinte en blanc et au toit de tuiles rondes, a disparu, victime des terribles

▲

Le charme de son architecture coloniale fait du village de Jají un but d'excursion traditionnel dans la cordillère de Mérida, prolongement des Andes en territoire vénézuélien.
Phot. Sioen-C. E. D. R. I.

◄

Simón Bolívar, le héros national qui libéra le Venezuela de la tutelle espagnole, est né à Caracas, et son portrait figure en bonne place au musée de la ville.
Phot. Sioen-C. E. D. R. I.

1

le Venezuela

La découverte d'un énorme gisement de pétrole sous le lac de Maracaibo a complètement bouleversé l'économie vénézuélienne.
Phot. C. Lénars

tremblements de terre de 1755 et de 1812... et de la frénésie des constructeurs modernes, qui n'arrêtent pas de démolir pour rebâtir plus beau et plus haut.

D'interminables files de voitures américaines occupent les chaussées : moyen de transport noble, l'automobile joue, plus encore ici qu'ailleurs, un rôle social. Les *Caraqueños* (habitants de Caracas) roulent en voiture tout le jour et jusque tard dans la nuit, comme s'ils voulaient s'approprier la merveilleuse invention du moteur à explosion ou, tout simplement, oublier, dans le tintamarre enivrant de la circulation, la nostalgie de leur province natale. Dépourvus de ressources, les Vénézuéliens attirés par la capitale se sont installés au flanc des collines ravinées, quelquefois impropres à la construction. Mais riches ou pauvres, édifiées dans le centre ou à la périphérie, les maisons individuelles, gaiement peintes de blanc ou de bleu, sont accueillantes : c'est le premier sourire du pays au voyageur. Dans ce décor typiquement sud-américain, le Jardin botanique, au centre de la ville, rappelle la luxuriante richesse végétale du pays. Au premier abord, la capitale du Venezuela semble se situer plus près de l'Amérique du Nord que de l'Amérique du Sud. Elle n'est, en fait, pas plus vénézuélienne qu'américaine. Elle est tout simplement Caracas, sans qu'il soit possible de lui trouver ailleurs des points de comparaison.

Au pays de l'or noir

Pour apprécier à sa juste valeur le littoral de la mer des Caraïbes, il faut l'aborder dans sa portion occidentale et sortir de Caracas en direction de l'ouest, vers Maracay, proche du parc national Henry Pittier, et Coro, où les plus beaux édifices coloniaux du pays dressent leurs surprenantes silhouettes le long des rues et des boulevards de l'ancienne capitale du

Les Indiens construisent toujours les habitations sur pilotis qui donnèrent à un lieutenant de Christophe Colomb l'idée de baptiser leur pays «Petite Venise» (Venezuela en espagnol).
Phot. Sioen-C. E. D. R. I.

▲
Coincée entre deux chaînes montagneuses, Caracas
s'est développée en longueur et surtout en hauteur, en
se hérissant de gratte-ciel.
Phot. Sioen-C. E. D. R. I.

Venezuela. Au centre de la ville, l'église San Francisco, à trois nefs, est un bel exemple d'architecture espagnole : sobriété du style et sculptures d'inspiration mauresque. Aux alentours, des dromadaires importés d'Afrique promènent les visiteurs dans les Médanos, des dunes de sable qui se déploient à perte de vue.

En longeant la côte vers l'ouest, on atteint le pont d'Urdaneta, audacieux ouvrage d'art de 9 km de long, dont les arches de béton franchissent le goulet faisant communiquer le lac de Maracaibo avec l'Océan. Au débouché du pont, la ville de Maracaibo, porte de l'or noir et deuxième agglomération du Venezuela, est à la fois la capitale du pétrole et celle de l'État de Zulia, qui borde la frontière avec la Colombie. Située à cheval sur la mer et sur l'immense lagune (13 000 km²), c'est une cité moderne, trépidante, dont le principal attrait touristique réside dans les marchés populaires, où les Indiennes Goajiras, vêtues de robes bariolées de blanc, de rouge et de bleu, témoignent du patrimoine ethnique et du mélange des races. Du bassin jaillit une forêt de derricks, imposantes structures métalliques des puits pétroliers.

De cette région tropicale, au climat éprouvant, a surgi la plus grande richesse du pays. Le pétrole a confirmé une vieille légende des Indiens Goajiros, disant que le salut de leur tribu viendrait de la montagne Santa Ana, qui domine la péninsule toute proche de Paraguaná. Le 22 octobre 1922, le puits « Barroso 2 » cracha un jet de pétrole, faisant apparaître une réserve insoupçonnée et révolutionnant

▲
Port important et agréable station balnéaire, La Guaira, toute proche de Caracas, offre en outre le pittoresque de sa vieille ville aux ruelles sinueuses.
Phot. Sioen-C. E. D. R. I.

▲
Coro, capitale de l'État du Falcón, a conservé quelques belles demeures édifiées par les colonisateurs espagnols.
Phot. Sioen-C. E. D. R. I.

▶
Le sable doré et les palmeraies de Playa Colorada, sur la mer des Caraïbes, sont très appréciés des Vénézuéliens.
Phot. Sioen-C. E. D. R. I.

le Venezuela

▲
Chacun des petits villages aux tuiles rondes qui s'ac-
crochent aux pentes escarpées de la cordillère de
Mérida possède une église d'un blanc immaculé.
Phot. Gutierrez-Atlas-Photo

l'économie nationale. Vagabonds souillés de cambouis, camelots, paysans ayant perdu leur lopin de terre, ouvriers, étrangers, ivrognes, Américains du Nord, Cubains affluèrent de partout, à la recherche du pétrole. Ironie du sort, la ruée vers l'or noir chassa les Indiens de leur territoire. Sur les rives du lac de Maracaibo, leurs petites maisons lacustres sont encore là. Ce sont elles qui ont donné son nom au pays : en 1499, Alonso de Hojeda, découvrant les habitations sur pilotis qui se dressaient au-dessus des eaux et évoquaient, à l'époque, les constructions vénitiennes, baptisa le pays « Petite Venise » (*Venezuela* en espagnol).

Maracaibo n'a pas conservé beaucoup de souvenirs des siècles qui ont précédé le « boom » économique. Le vieux quartier colonial, dont les maisons aux balcons noirs entourent l'ancien port des goélettes, reste pittoresque, avec son marché aux odeurs typiques, regorgeant de mangues, de goyaves, d'avocats, d'ananas, d'oranges, de papayes et de petites bananes jaunes. De l'autre côté, les gratte-ciel poussent comme des champignons, car la ville est devenue le centre commercial et culturel de l'Occident vénézuélien. Plusieurs cités-satellites gravitent dans son orbite, telles Cabimas et Ciudad Ojeda, dont la position géographique, à proximité des champs de pétrole du district Bolívar, a fait, en quelques années, des agglomérations industrielles d'aspect très moderne.

Les raffineries sont situées à Amuay et à Punta Cardón, près de Coro, vieille ville coloniale où fut fondé le premier siège épiscopal du continent. Pratiqué à l'origine dans les îles néerlandaises de Curaçao et d'Aruba, le raffinage se développe de plus en plus sur le sol vénézuélien, augmentant d'autant le montant des exportations, qui font du Venezuela le pays le plus riche de l'Amérique latine.

▲
Les Indiens des Andes passent pour avoir un tempérament plus placide que ceux qui vivent dans les plaines.
Phot. Sioen-C. E. D. R. I.

La Guyane vénézuélienne

L'Orénoque, le fleuve de plus de 2 000 km de long dont le bassin constitue le territoire vénézuélien, rejoint l'Atlantique à la pointe est du pays, par un vaste delta. Le 1ᵉʳ août 1498, les tribus indiennes qui habitaient ce delta furent témoins d'un prodigieux spectacle : d'énormes navires s'avançaient majestueusement sur l'Océan, habituellement désert. C'étaient les vaisseaux de Christophe Colomb, effectuant son troisième voyage dans le Nouveau Monde.

Sur la rive droite du fleuve commence l'immense plateau des Guyanes, massif de terrains anciens, de roches ignées primitives, qui s'étend sur le nord du Brésil, les trois Guyanes et le sud-est du Venezuela, où il occupe l'État de Bolívar et le territoire fédéral de l'Amazone. Au premier coup d'œil, c'est un pays entièrement vert : les neuf dixièmes du plateau des Guyanes sont couverts de forêts et constituent une partie de l'étendue boisée la plus importante du globe : l'Amazonie. Monde mystérieux, qui suscita bien des mythes.

Dans la langue des Indiens Guaraos de l'Orénoque, *guay* signifie «nom», et *iana* est une négation : «Guayiana» est donc l'espace que l'on ne peut nommer, le «Pays sans nom». Pour les conquérants espagnols, c'était peut-être l'Eldorado, le légendaire pays de l'or que

▲
Le río Caroni dévale en cascadant du plateau des Guyanes pour se jeter dans l'Orénoque.
Phot. Sioen-C.E.D.R.I.

▲ *La péninsule d'Araya, dans l'État de Sucre, compense par les teintes ardentes de ses terres érodées l'absence à peu près totale de végétation.*
Phot. Sioen-C. E. D. R. I.

▶ *Rompant brutalement la platitude des llanos vénézuéliens, les «monticules» de San Juan de los Morros dressent leurs pitons rocheux dans la savane du Guarico.*
Phot. Sioen-C. E. D. R. I.

personne n'a jamais découvert. Il y a effectivement de l'or dans l'arrière-pays, mais on y trouve surtout des cristaux géométriques de pyrite, à l'éclat métallique. Ces cristaux sont encore ramassés, broyés et incorporés à l'argile avec laquelle on fait les poteries. On peut supposer que les «Amérindiens dorés», tout barbouillés de poudre d'or et utilisant des ustensiles qui étincelaient au soleil, excitèrent la convoitise des Européens du XVIe siècle. Beaucoup d'aventuriers obscurs, qui y laissèrent leur vie, et plusieurs explorateurs célèbres, espagnols, français et anglais, se lancèrent à la poursuite de ce rêve, remontant l'Orénoque en bateau pour essayer d'atteindre l'autre côté du massif guyanais. Aucun n'y parvint.

De nos jours, les importantes richesses minérales que recèle l'«enfer vert» attirent de plus en plus de monde dans cette région inhospitalière. De Caracas, le voyageur moderne, tournant le dos à la côte caraïbe, peut rejoindre l'Orénoque par la route, par bateau (sur les fleuves) ou par avion, en vol régulier. À partir de San Fernando de Apure, au sud de la capitale, commence la région des plaines, ou *llanos*, la plus typique et la plus préservée du pays, avec ses élevages extensifs de bovins. Puis apparaît la forêt, où, depuis un siècle, des hommes, des techniques, des moyens d'exploitation et de production venus de Caracas pénètrent de façon continue.

Les mobiles de cette poussée vers l'est, dans les profondeurs de la végétation, sont multiples. Pour les gouvernements qui se sont succédé au pouvoir depuis la révolution de 1958, ce fut surtout une marche vers les frontières naturelles du pays. Sur des centaines de kilomètres, l'uniformité du paysage, à peine troublée par le relief, pourtant de plus en plus élevé lorsqu'on approche du Brésil et de l'ancienne Guyane britannique, donne l'impression que l'on n'a pas atteint la fin de l'espace géographique national. C'est le lieu où l'Amérique, représentée par les Vénézuéliens, entre en contact avec l'immensité de la forêt amazonienne. Pour les *caudillos*, et notamment le président Gómez, le motif fut essentiellement la recherche de l'or, qui s'est longtemps confondue avec l'histoire de la pénétration du plateau des Guyanes. Afin d'exploiter rationnellement les placers et les mines, ils bâtirent des villes-champignons comme Ciudad Guyana et Ciudad Bolívar, où une masse laborieuse constitua une forme d'aristocratie ouvrière, à l'instar de celle des ouvriers pétroliers.

Cette voie vénézuélienne, longtemps synonyme de lenteur, est dotée depuis peu d'un nouvel attrait : entre Ciudad Guyana et Ciudad Bolívar, villes-jardins suspendues entre les flots rougeâtres de l'Orénoque et la verdure des frondaisons, le voyageur a maintenant la possibilité d'atteindre, en pleine forêt vierge, Canaima, où les cascades grondantes et les arbres géants entremêlés de lianes ouvrent de façon grandiose l'accès au milieu guyanais. De Canaima, il faut cinq jours en pirogue pour atteindre la chute Angel, la plus haute du monde, mais l'avion vous y conduit d'un coup d'aile : du bord d'un entablement rocheux, la rivière plonge de 1 000 m de haut ! ■ Alain POTTIER

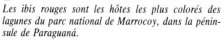

▲

Les ibis rouges sont les hôtes les plus colorés des lagunes du parc national de Marrocoy, dans la péninsule de Paraguaná.
Phot. Sioen-C. E. D. R. I.

▲
Le río Carrao, aux eaux rougeâtres, accueille par des cascades écumantes les visiteurs de Canaima, centre touristique de la Guyane vénézuélienne.
Phot. Sioen-C. E. D. R. I.

▶
La chute d'Angel est la plus haute du monde : elle fait un saut de 1 000 m depuis le plateau de l'Auyan-Tepuy, une des inaccessibles montagnes tabulaires de la Guyane vénézuélienne.
Phot. Sioen-C. E. D. R. I.

la Guyana, le Surinam, la Guyane française

la Guyana

Vue du ciel, la Guyana, ancienne Guyane britannique, entre les bassins de l'Orénoque et de l'Amazone, ressemble aux pays avoisinants : mêmes dimensions, même situation en bordure de l'Atlantique, même aspect luxuriant de la végétation. Mais, si l'on traverse le pays sur le fleuve Essequibo, dont un affluent, le Rupununi, communique avec le bassin brésilien du río Branco, on découvre un enchevêtrement fabuleux d'arbres, de rivières et de terres.

En bordure de mer, à l'embouchure de la Demerara qui serpente à travers la plaine alluviale de la côte, Georgetown, capitale et principale ville du pays, se caractérise par une étonnante superposition de plans et de centres d'activité : d'un côté, les vieilles maisons de bois sur pilotis, au toit de tôle ondulée, vestiges de l'époque hollandaise ; de l'autre, de petites églises anglicanes ou presbytériennes, entourées de boutiques tenues par des Chinois ou des créoles (métis). Le dépaysement est total.

Indéniablement, on est ici dans un « bout du monde ».

Malgré la diversité des couleurs, l'ensemble n'a rien de luxueux, car la chaleur humide, les pluies, les inondations et les vents qui soulèvent l'omniprésente terre rouge finissent par avoir raison de tout et incitent à construire des abris provisoires plutôt que des bâtiments en dur. Ce qui frappe surtout, c'est l'aspect presque villageois de cette capitale, où la présence de Noirs et d'Indiens d'Asie rappelle que des différences de cultures, de groupes ethniques et de modes de vie divisent les habitants. La

▲
Au large de l'« enfer vert » des Guyanes, les îles du Salut (Guyane française) bénéficient, grâce à la brise océane, d'un climat paradisiaque.
Phot. Bruwier-Sidoc

1

rougi avec du rocou récolté sur les arbres, ceints du seul *kalimbé*, le pagne traditionnel qui entoure la taille et retombe sur les genoux, leur longue chevelure noire coiffée en bandeaux lisses, les Tarumas fêtent joyeusement les visiteurs, beaucoup plus intimidés qu'eux.

La vie, dans les villages indiens, est restée à l'échelle humaine. Dans les huttes, vastes meules de paille au toit de feuilles tressées, reposant sur les poteaux entre lesquels sont tendus les hamacs, les hommes se prélassent, tandis que les femmes filent le coton. Dans cette population très soucieuse de son hygiène corporelle, l'intrusion de l'homme blanc a provoqué des drames. Tuberculose, paludisme et autres maladies, vite mortelles pour les Indiens, ont décimé une tribu déjà affaiblie par la consanguinité due au trop petit nombre des individus.

Et pourtant, il reste des Indiens en Guyana. Les sympathiques Tarumas sont des marcheurs infatigables. Ils chassent à l'arc et n'ont pas leur pareil pour abattre adroitement le gibier. Leurs flèches ont près de 2 m de long, et il en existe six modèles différents, chacun ayant un emploi bien déterminé : l'un, taillé en sagaie, est destiné au gros gibier, un autre, terminé par une petite massue, assomme les oiseaux sans les déchirer.

Le souvenir de ce petit monde attirant, oublié de l'univers, accompagnera l'étranger durant les longues journées du retour vers Georgetown... et bien au-delà.

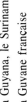
la Guyana, le Surinam, la Guyane française

2

cohabitation semble pacifique, mais que l'on ne s'y trompe point cependant : cette apparente docilité est l'aboutissement de deux siècles de luttes et d'un subtil art de régner. Il suffit, pour s'en convaincre, d'observer, dans la boutique colorée d'un épicier chinois, les regards parfois peu amènes qu'échangent Noirs et Indiens. Si on se tolère depuis peu, on ne s'aime pas encore.

Après le damier de rues rectilignes de Georgetown, le Stabrock Market et le Jardin botanique, il ne reste plus à découvrir que le port fluvial, avec ses bateaux de commerce. La Guyana base son économie sur l'agriculture et l'exploitation des minerais : bauxite, manganèse, nickel. Ici, l'homme n'a pas cherché à imposer sa marque à la nature, mais il a aménagé avec mesure son cadre de vie dans un paysage semblable à un grand désert vert. Le pittoresque du pays est ailleurs que dans ces vieilles maisons et ce port. Il faut le chercher autour de la ville, le long de la côte où s'étend le domaine des cocotiers et des rizières.

Si l'on excepte New Amsterdam, plus au sud, à l'embouchure de la Berbice, Bartica, petit port fluvial sur l'Essequibo, et quelques bourgades sans grand intérêt (Mackenzie, Everton, Kwakwani), l'intérieur du massif guyanais est pratiquement inhabité. On ne peut s'y rendre qu'en pirogue, par les rivières navigables, seules voies de pénétration.

En quittant la côte atlantique pour l'intérieur du pays, le visiteur est très vite confronté à une intense vie animale et végétale. C'est de la pirogue, tout d'abord, que l'on observe la forêt. L'équipe (accompagnée d'un guide) qui se hasarde plus au sud, dans la région du Rupununi, aux confins de la Guyane brésilienne, ne rencontre pas de grands reliefs. Les rivières se glissent de bassins en affluents suivant un itinéraire sinueux. Seul, mais impossible à voir à cause de son éloignement et de son isolement, le Roraima, avec ses 2 810 m d'altitude, domine le moutonnement des arbres.

Après la navigation, la marche à pied en forêt est une véritable expédition. S'il est relativement facile de se frayer un chemin, il l'est encore plus de perdre le sens de l'orientation. Prudence, donc, mais sans angoisse excessive : les accidents sont finalement assez rares. Chaque soir, les explorateurs doivent répéter les mêmes gestes : préparer le campement, installer les hamacs et les moustiquaires, mettre les bagages à l'abri des fourmis et des termites, surveiller l'environnement. Le seul bruit qui rompt l'angoissant silence est le chant d'un oiseau tropical ou le passage d'un animal facilement repérable : gros lézard, pécari ou dindon sauvage, aux abords d'un ruisseau bourbeux.

Au bout de trois jours de navigation, l'Essequibo semble se rétrécir. L'approche des hommes fait fuir des essaims d'oiseaux, et la réverbération du soleil sur l'eau est aveuglante. Soudain, à un coude de la rivière, apparaissent les cases des Indiens Tarumas. Émouvant contact, dans l'intérieur du pays, avec les Amérindiens, les premiers habitants de l'Amérique, protégés par l'épaisseur de la forêt. Accourant au bord de l'eau, hommes, femmes et enfants viennent saluer les nouveaux venus. Le corps

▲
Dans le quartier résidentiel de Georgetown, une fontaine édifiée par les Anglais rappelle que la Guyana s'appelait naguère « Guyane britannique ».
Phot. A. Robillard

Histoire
Quelques repères

v. 1500 : Pinzón reconnaît les côtes de l'actuelle Guyana.
1596 : les Hollandais, séduits par la similitude du littoral marécageux avec leur terre natale, fondent Stabrock, la future Georgetown.
XVIIIe s. : réussite des efforts de développement agricole entrepris par les Hollandais, sous la tutelle de la Compagnie des Indes occidentales.
1796 : les Anglais occupent Stabrock.
1814 : des traités partagent les Guyanes entre Anglais, Hollandais et Français.
1838 : l'esclavage ayant été aboli, les Anglais font appel à la main-d'œuvre indienne de leurs colonies d'Asie ; Noirs et Indiens vont se considérer comme rivaux.
1890 : début du contentieux territorial avec le Venezuela.
1928 : première Constitution accordée par la Couronne britannique.
1943 : nouvelle Constitution, renforçant le pouvoir législatif.
1953 : élection de Cheddi Jagan, candidat des masses indiennes.
1964 : violents affrontements entre Noirs et Indiens, aboutissant à l'élection du Noir Forbes Burnham.
1970 : amorcée en 1966, l'indépendance est acquise par un amendement à la Constitution, faisant de la Guyana une république ; le gouverneur est remplacé par un président.
1971 : accord des deux partis, apaisant l'antagonisme racial.

le Surinam

Peu de gens savent que le Surinam, qui tire son nom du fleuve qui le traverse, n'est autre que l'ancienne Guyane hollandaise, qui fit longtemps l'objet de la convoitise des Anglais et des Français. Colonie prospère des Pays-Bas, fondée par la ville d'Amsterdam et la Compagnie hollandaise des Antilles, elle offrait aux planteurs un climat idéal pour la canne à sucre et une main-d'œuvre noire très importante. Après l'abolition de l'esclavage, survenue fort tard (1863) dans cette partie de l'Amérique du Sud, les planteurs décidèrent d'employer des Indiens d'Asie et des Indonésiens. Ceux-ci vinrent en grand nombre, et la colonie put continuer à se développer. Au XXe siècle, lorsque les grandes plantations déclinèrent, l'exploitation de la bauxite permit d'équilibrer la balance commerciale.

Mis à part Nieuw Amsterdam, Marienburg et la charmante petite ville de Nieuw Nickerie, à l'extrémité nord-ouest du pays, c'est à Paramaribo, la capitale, que l'on découvre le Surinam. Vivante et active, sauf pendant les premières heures de l'après-midi où tout le monde fait la sieste, la ville rappelle beaucoup la Hollande, mais dans un paysage des tropiques. Une foule cosmopolite arpente des rues et des boulevards remarquablement bien entretenus : Javanaises en *sarong*, Javanais habillés de batik, hindous en *shampurs*, musulmans enturbannés, Américains bronzés, Hollandais en chemise blanche, Indiens de la forêt à la peau rouge, vêtus d'un pagne et de parures de perles, déambulent au milieu d'un intarissable flot de bicyclettes. Quoique le brouhaha soit considérable, l'ensemble donne une impression d'ordre et de discipline que l'on n'éprouve pas dans la plupart des autres villes tropicales de l'Amérique. Propres et méthodiques, les Hollandais ont inculqué leurs qualités à la population de ce petit pays.

Allongés le long du fleuve Surinam, découpés selon un plan géométrique, Paramaribo et ses faubourgs sont traversés par de nombreux

canaux navigables. En suivant l'un d'entre eux jusqu'au centre de la ville, près du fort Zeeland, dernier vestige des guerres du XVIIe siècle, on arrive à la résidence des anciens gouverneurs, encore appelée « le Palais » par la population. Devant la façade blanche se dresse la statue de la reine Wilhelmine, justifiant le style colonial de l'édifice tout en perpétuant un passé que personne ne semble pressé d'oublier. Du siège du nouveau gouvernement, on accède au jardin des Palmiers, oasis de sérénité d'où l'on peut contempler les belles demeures en bois de la capitale, construites sur pilotis, à côté des bâtiments publics en brique rouge.

◄
Descendants d'esclaves noirs évadés des grandes plantations, les Jukas vivent en clans dans les forêts de l'intérieur, où ils construisent des cases de bois à toit de palmes.
Phot. Le Neuthiec

Si quelques routes carrossables partent de Paramaribo pour rejoindre Boskamp, Wageningen et l'aéroport de Zanderij — c'était, il y a encore peu de temps, l'un des plus modernes de l'hémisphère Sud —, le visiteur ne pourra pas éviter très longtemps la forêt. Un domaine que, paradoxalement, la plupart des Surinamiens, trop préoccupés par les affaires courantes de la capitale, répugnent à visiter. Allant du rouge sang, comme le padouk, au pourpre, comme l'acajou, au rose, à l'orange, au jaune, au brun, jusqu'au fameux « cœur vert » utilisé pour la fabrication des cannes à pêche, les « bois verts » sont la richesse de la forêt

▲
Paramaribo, capitale du Surinam, a gardé bien des souvenirs de l'occupation hollandaise, notamment une statue de la reine Wilhelmine et une atmosphère de respectabilité cossue.
Phot. Moisnard-Explorer

amazonienne. Celle-ci est le domaine des Jukas, des Noirs d'origine africaine, descendant des esclaves évadés des plantations. La plupart d'entre eux s'efforcent de conserver leurs coutumes ancestrales et leur manière de vivre. Dirigé par un chef aux pouvoirs étendus, chaque clan (il en existe une douzaine) occupe un territoire où il vit de la chasse, de la pêche et de la culture itinérante, défrichant ici ou là un pan de forêt pour y cultiver des bananiers, des ignames (sortes de pommes de terre douces) et d'autres légumes. Les Jukas recueillent également la gomme des balatas, qui est comestible quand elle est fraîche et fournit, une fois séchée, une espèce de caoutchouc.

Des programmes de coupe cherchent à augmenter la production des bois précieux, tant en volume qu'en diversité. Un projet spectaculaire prévoit le défrichage de larges bandes de jungle, ce qui permettrait une exploitation rationnelle de la forêt. Pour l'instant, celle-ci reste difficilement pénétrable, et seuls les voyageurs audacieux s'y aventurent. C'est dommage, car le dépaysement y est total.

En 1938, des Jukas de l'intérieur amenèrent à Paramaribo une jeune fille d'une grande beauté, à la peau presque blanche, qui avait des cheveux bruns, des yeux verts en amande et la taille très fine. Ils l'avaient trouvée errant dans les collines, aux abords des hautes terres. La rescapée de la jungle fut adoptée par une anthropologue, qui lui apprit le néerlandais et découvrit ainsi que la jeune fille s'était enfuie d'une tribu vivant dans la savane, au-delà des montagnes, sans aucun contact avec les Indiens installés le long des fleuves. La tribu ignorait l'existence des hommes blancs et même de la mer. Depuis, la commission internationale qui s'occupe du tracé des frontières est entrée en contact avec ces hommes sortis tout droit de la préhistoire. Ils vivent de la cueillette et des quelques légumes qu'ils font pousser dans les clairières. Comme la jeune fille, ils ont le teint

▲
Les Indiens du Surinam sont restés très primitifs : ils vivent à l'écart dans la jungle amazonienne, où ils chassent — et pêchent — à l'arc.
Phot. Bruwier-Sidoc

clair. Une énigme de plus à l'actif de ces espaces propres à enflammer l'imagination.

Le décor surinamien est le paradis des insectes et des oiseaux, qui déconcertent le peintre et affolent le photographe par l'incroyable variété de leurs couleurs. Univers fascinant, peuplé d'araignées géantes et de papillons aux teintes chatoyantes, tels l'agrias et le morpho bleu dont les ailes scintillantes sont découpées pour orner des bibelots.

Si la chronique des temps passés mentionne souvent l'existence de diamants de belle qualité dans le cours supérieur du fleuve Courantyne, qui forme la frontière occidentale du pays avec l'ancienne Guyane britannique, une industrie du diamant reste problématique. La découverte la plus intéressante en matière de gisements est celle de la bauxite (minerai d'aluminium).

Quant à l'or, il y en a certainement dans les dépôts alluvionnaires du territoire, mais en quelle quantité ? Il arrive occasionnellement qu'un chercheur découvre des pépites. Une nouvelle espèce de prospecteurs s'est abattue sur les zones connues. Appelés *pock knockers*, ces vagabonds dépourvus de tout, sans domicile fixe, errent dans la forêt, labourant le sol chaque fois qu'ils tombent sur un dépôt de sédiments, dans une dépression du terrain. Si leur vie est rude, il leur arrive quand même de trouver de petites quantités de métal jaune.

Pour rapporter cet or, dont l'exportation est sévèrement contrôlée, jusqu'à la capitale, où ils peuvent le négocier, les *pock knockers* utilisent tous les subterfuges, faisant parfois preuve d'un réel esprit inventif. Le douanier qui surveille le seul chemin de fer reliant Paramaribo aux hautes terres finit un jour par s'étonner de l'engouement témoigné par les usagers de la ligne pour les *curaçaos*, gros oiseaux à la chair savoureuse et au plumage assez terne, qui poussent des cris discordants et ont, comme les pies, la fâcheuse habitude d'avaler tout ce qui brille. Ayant confisqué un lot de volatiles, le gabelou leur tordit le cou et ouvrit leur jabot : il était plein de pépites d'or.

Histoire
Quelques repères

1650 : lord Willoughby, gouverneur de la Barbade, fonde la première colonie.
1667 : la paix de Breda cède le territoire aux Hollandais en échange de la Nouvelle-Hollande, en Amérique du Nord.
1815 : le Surinam devient une colonie des Pays-Bas.
1845 : arrivée de fermiers hollandais (Boers), suivis, à quelques années d'intervalle, de Portugais, de Chinois, d'Hindous et d'Indonésiens.
1922 : le Surinam devient «territoire», au même titre que Curaçao et les Indes orientales néerlandaises.
1950 : les Pays-Bas accordent au territoire le régime parlementaire et le suffrage universel.
1955 : entrée en vigueur de la Constitution.
1975 : indépendance.

▶
Les ruines du bagne, que les rigueurs du climat ont vite délabré, constituent l'une des curiosités de la Guyane française. (Hôpital du pénitencier de l'île Royale.)
Phot. Moisnard-Explorer

la Guyane française

Qui s'attendait à retrouver le visage de la France dans un territoire que l'on décrivait naguère comme « sans âme » ? 91 000 km², la superficie du Portugal : si la Guyane française, au lieu d'être une vieille possession, était une découverte récente, on s'y précipiterait avec ferveur.

Vraie mosaïque de couleurs selon la prédominance d'un type ethnique ou d'un autre, fruit d'un métissage de races très diverses, la population, en majorité créole, mais aussi métropolitaine (environ 12 p. 100), chinoise, indonésienne et noire d'Amérique, a préféré s'installer en bordure des côtes, sur la bande étroite où domine la savane ; savane basse ou haute, savane « tremblante » aux pièges mortels, non à cause des anacondas (grands boas surnommés « couleuvres ») qui s'y cachent, mais des fièvres qui menacent l'homme. La population indienne, réduite à quelques centaines de Galibis, Arawaks, Émerillons, Oyampis et autres Oyanas, ainsi que quelques rares créoles et Noirs Boschs (ou Bonis) ont élu domicile dans la forêt vierge, où l'eau et la végétation se confondent. Bien plus dense qu'une forêt d'Europe, avec des millions d'arbres qui ne laissent pas passer le vent, la partie amazonienne du département est une jungle luxuriante, un jaillissement continu de sève et de vie qui couvre le sol d'un tapis de plantes et de feuilles.

Pour le visiteur qui débarque pour la première fois en Guyane, la découverte de Cayenne est une surprise. On dirait un décor de cinéma, avec de vieilles maisons de l'époque héroïque, dotées de balcons de bois et d'auvents en tôle ondulée. Le cœur de la ville est la merveilleuse place des Palmistes, où 250 palmiers exactement semblables, comme des colonnes sorties du même moule, entourent le très beau monument à Félix Éboué, natif de

la ville. Sur la place, la foule chemine sans plus de hâte qu'autrefois, dans des habits aux teintes pastel : le créole a le goût de l'habillement et le sens de la respectabilité. Place de Grenoble, un peu plus loin, se dresse la Préfecture, ancienne résidence des gouverneurs et des jésuites, entourée d'un vaste jardin aux pelouses bien dessinées et parfumée de l'odeur suave des frangipaniers.

Le vieux Cayenne n'a pas totalement disparu, mais toutes les rues sont maintenant recouvertes d'une couche de goudron que la chaleur humide rend gluant. À l'écart du centre, constitué par le marché, grande bâtisse métallique imprégnée de l'odeur des bananes, l'épicier chinois a modifié sa vitrine selon des conceptions plus modernes. Les vents alizés soufflant du sud-est assurent une ventilation naturelle à l'intérieur des maisons, dont les fenêtres sont munies d'un fin grillage métallique qui empêche les insectes d'entrer.

Les premiers Français qui débarquèrent ici dotèrent la Guyane d'armoiries, geste assez rare dans les colonies : les palmiers semblent une allusion à la verdoyante couronne de la place des Palmistes, et les fleurs de lis, emblèmes de la France, rappellent l'union de la petite colonie avec la mère patrie. La date, 1643, est postérieure de cinq ans à la fondation de Cayenne. Sur le fond rouge, couleur de la terre guyanaise, une pirogue « ramée, chargée en comble d'un moncel d'or », symbolise la situa-

Histoire
Quelques repères

1604 : envoyé par Henri IV pour reconnaître les possibilités de commerce et d'exploitation des régions voisines de l'Amazone, La Ravardière choisit la Guyane comme port d'attache.
1626-1633 : installation de quatre groupes de colons français (152 hommes en tout).
1638 : fondation de Cayenne par une compagnie normande.
1664 : après le passage des Hollandais, puis des Portugais, une expédition française, forte de 1 200 hommes et de 5 navires, s'installe le long des côtes.
1667 : le traité de Breda donne la Guyane à la Hollande.
1677 : l'amiral d'Estrées reconquiert la colonie.
1763 : arrivée de 10 000 émigrants sans aucune expérience ; 6 000 mourront des fièvres.
1766-1778 : le gouverneur Malouet entreprend des travaux d'assainissement.
1792 : création du bagne par l'Assemblée législative.
1809 : prise de Cayenne par les Portugais, aidés par les Anglais.
1817 : la Guyane est rendue à la France.
1848 : abolition de l'esclavage ; ruine des plantations.
1858-1900 : ruée vers l'or ; plus de 20 000 chercheurs vont se croiser, accroissant la population, qui atteint 27 000 habitants.
1945 : suppression du bagne.
1946 : la Guyane devient un département français.

tion maritime et fluviale, tout en attestant des richesses que renferme le sous-sol.

Au cours de son histoire, cette terre française a connu plusieurs tentatives de mise en valeur spectaculaires, mais superficielles et sans lendemain. Depuis le 9 avril 1968, elle est devenue l'antichambre de l'espace. À deux heures de route de Cayenne, le centre spatial de Kourou, spécialisé dans le lancement de satellites, fusées, sondes et ballons, est situé sur une bande côtière rectangulaire de 60 km de long sur 20 km de large. On espère qu'il tirera la savane de sa léthargie, car tous les essais de développement agricole ont échoué les uns après les autres, et la région vit au ralenti. Kourou, petite ville moderne de 5 000 habitants, entièrement bâtie de béton blanc, avait connu quelque activité il y a bien longtemps. En 1626, une cinquantaine d'hommes venus de France y débarquèrent et s'efforcèrent, sans succès, de créer une colonie. Depuis, plus rien. Des conditions géographiques et climatiques en ont fait, au XXe siècle, un lieu tourné vers le futur.

Face à Kourou, les îles du Salut — Royale, Saint-Joseph et île du Diable — offrent leur rade aux navires de trop fort tonnage pour entrer dans le port de Cayenne. Leur nom semble porter une lueur d'espoir, face à l'écrasant climat et aux conditions de vie de la Guyane. Or la réalité fut tout autre. Le 23 août 1792, les législateurs révolutionnaires décidèrent de faire de la Guyane un lieu de déportation, car la colonie souffrait du manque de main-d'œuvre. Les détenus politiques condamnés aux travaux forcés y furent envoyés et employés aux travaux les plus pénibles, traînant à leur pied un boulet ou, lorsque la nature du travail auquel ils étaient astreints le permettait, attachés deux à deux par une chaîne.

Les premiers déportés, Billaud-Varenne et Collot d'Herbois, arrivèrent en 1795, suivis de 257 prêtres réfractaires et de 313 exilés de toutes les catégories sociales. Après une suspension de près d'un demi-siècle, les déportations reprirent sous le second Empire, par un décret de 1851. Le bagne de la Nouvelle-Calédonie paraissant trop doux, prisonniers politiques et condamnés de droit commun furent relégués, leur vie durant, dans l'« enfer vert ». Sur 80 000 condamnés au total, 20 000 à peine sont revenus en France.

Du bagne, fermé en 1945, les îles du Salut, que l'administration utilisait comme dépôt temporaire, n'ont conservé que quelques bâtiments en ruine. En suivant vers le nord-ouest la route qui longe la côte, d'autres bâtiments pénitentiaires, au toit rouillé, signalent une agglomération : c'est Saint-Laurent-du-Maroni, ancienne capitale du bagne, mollement allongée le long du grandiose estuaire du Maroni. Cité résidentielle, avec ses villas à véranda de style européen ou colonial, entourées de jardins, la ville évoque une calme sous-préfecture. Située à l'extrême nord de la Guyane, face à l'ancienne Guyane hollandaise, Saint-Laurent n'a pas entièrement oublié son passé, ses cachots et ses drames. Quelques vieux Blancs, anciens forçats aux traits tirés et à la peau plissée par le climat équatorial, restés à la colonie après leur libération, en parlent encore parfois. D'autres s'efforcent de ne plus y penser. Tous ont fait quinze, vingt, trente ans de réclusion.

Beaucoup de forçats tentèrent évidemment de s'évader, mais, s'il faut en croire les registres de l'administration pénitentiaire, très peu réussirent « la belle ». Quelques-uns parvinrent à s'installer en Amérique latine. Il arrive encore parfois au procureur de Cayenne de recevoir de Colombie, du Venezuela ou du Brésil de bien curieuses lettres : « Je suis un ancien forçat évadé. Pouvez-vous me dire si, ma peine me paraissant prescrite, il m'est possible de revenir en Guyane ou dans un autre territoire français sans risquer d'être arrêté ? » ■ Alain POTTIER

▲
Les cours d'eau, et surtout le Maroni, qui sert de frontière entre le Surinam et la Guyane française, sont les seules voies de pénétration au cœur de la grande forêt.
Phot. Moisnard-Explorer

▶
La plaine côtière de la Guyane française, basse et humide, est parsemée de marécages.
Phot. Moisnard-Explorer

la Guyana, le Surinam, la Guyane française

5

la Guyana, le Surinam,
la Guyane française

6

le Brésil

Ce qui frappe d'emblée, c'est l'immensité du pays. Vérité première, dira-t-on. Il suffit d'ouvrir un atlas pour savoir que le Brésil occupe, à lui seul, près de la moitié du continent sud-américain, et qu'il représente environ un dix-septième des terres émergées du globe ; que des Guyanes, au nord, à l'Uruguay, au sud, on ne compte pas moins de 4 320 km, et autant d'est en ouest, soit, dans un sens comme dans l'autre, à peu près la distance séparant Paris de Dakar.

Dès l'arrivée, cette immensité est sensible. Ici bien davantage qu'aux États-Unis, dont la superficie est pourtant supérieure, le vertige du vide vous saisit. D'immenses *no man's lands* séparent encore les zones de peuplement, et aucune « marche vers l'ouest » ne fera jamais surgir une Californie brésilienne : la géographie, qui a enfoui les limites occidentales du pays dans l'inextricable *selva* (forêt vierge) amazonienne, s'y oppose radicalement.

Les neuf dixièmes de la population brésilienne sont concentrés dans les zones côtières, essentiellement dans le Centre et le Sud (Belo Horizonte, Rio de Janeiro, São Paulo, Porto Alegre et les autres capitales méridionales), et également, mais pour une plus faible part, dans la corne orientale du Brésil (Salvador, Recife, Fortaleza), qui constitue la région dite « Nord-Est » *(Nordeste)*.

Jusqu'au développement de l'aviation commerciale, l'Océan fut pratiquement le seul lien entre les colonies de peuplement du Sud et du Nord. Au début du siècle, les magnats du caoutchouc de Manaus, en pleine Amazonie, se rendaient beaucoup plus vite à Liverpool ou au Havre qu'à Rio ou à Santos. Au mieux, le rio São Francisco permettait de remonter du Minas Gerais au cœur du Pernambouc, mais quel voyage !

Le miracle est que l'unité du pays ait si bien résisté — en dépit de quelques révolutions locales — à de telles difficultés de communication. L'explication réside dans l'histoire. Seul pays de langue portugaise de l'Amérique latine, le Brésil a très vite éprouvé le sentiment de sa personnalité par rapport à l'ensemble de ses voisins hispaniques. Le considérable apport africain et le rapide métissage des races ont confirmé sa singularité ethnique. La couronne impériale, enfin, qui s'est transmise jusqu'en 1889, a affermi encore, au milieu de dix-neuf républiques morcelées et batailleuses, la cohésion du pays et son sens national. À quoi il faut ajouter la solidarité qui naît de l'existence d'un vaste espace à conquérir, d'une grande aventure à vivre ensemble.

▲

Panorama de Rio de Janeiro vu du sommet du Pain de Sucre, le plus connu des pitons granitiques (morros) qui enserrent la petite plage de Vermelha et le grand arc de sable de Copacabana.
Phot. Manciet-Gamma

▶

Rio de Janeiro possède l'une des plus belles baies du monde, celle de Guanabara, parsemée d'îlots escarpés au milieu desquels la silhouette caractéristique du Pain de Sucre pointe comme une balise.
Phot. McIntyre-Cosmos

Histoire
Quelques repères

1500 : Pedro Álvares Cabral, navigateur portugais, touche la côte du Brésil à Porto Seguro (Bahia).

1549 : Tomé de Sousa fonde Bahia (Salvador), première capitale du Brésil.

1565 : les Portugais fondent Rio de Janeiro après avoir chassé les Français de la baie de Guanabara.

1696 : de l'or et des diamants sont découverts dans le Minas Gerais ; premiers arrivages d'esclaves africains.

1763 : Rio de Janeiro devient capitale.

1792 : futur héros national, Tiradentes, qui a fomenté un complot contre la colonisation portugaise, est exécuté en place publique.

1807 : le prince régent du Portugal, le futur Jean VI, chassé de Lisbonne par Napoléon, installe à Rio de Janeiro le gouvernement de ses États.

1822 : Jean VI ayant regagné Lisbonne, son fils Pierre déclare l'indépendance du Brésil et se fait couronner empereur.

1831 : devenu roi de Portugal, Pierre Iᵉʳ abdique en faveur de son jeune fils, Pierre II, qui exercera effectivement le pouvoir à partir de 1840.

1865-1870 : guerre de la Triple Alliance (Brésil, Argentine, Uruguay) contre le Paraguay.

1888 : abolition de l'esclavage.

1889 : coup d'État et proclamation de la république.

1930-1945 : gouvernement dictatorial de Getúlio Vargas, qui est déposé par l'armée.

1950 : la poussée communiste fait réélire Vargas.

1954 : sommé par l'armée de démissionner, Vargas se suicide.

1960 : le président Kubitschek inaugure Brasília, la nouvelle capitale.

1964 : l'armée chasse João Goulart de la présidence et s'y maintient.

L'optimisme, le dynamisme brésiliens doivent beaucoup à ce rapport particulier entre les hommes et la nature d'un pays où tout paraît possible. *Todo e possivel ao Brasil* est d'ailleurs l'un des slogans nationaux les plus usités. La fierté d'avoir créé sous les tropiques, à partir d'inextricables mélanges de sang, une race nouvelle, aux traits bien définis, renforce encore cette exaltation pionnière. Et il est vrai qu'aucun des États de l'Amérique latine n'a mieux réussi son *melting pot* d'immigrants venus de tous les horizons, qu'aucun n'est plus authentiquement « national » que celui-ci.

Mais le dynamisme brésilien n'a pas non plus l'agressivité, la rationalité mécanique qui a fait la fortune des Américains du Nord et des Japonais. C'est un dynamisme « latin », émotionnel et souvent nonchalant, parfois féroce, mais naturellement poétique. L'héritage portugais, capital pour comprendre le Brésil, a produit un type d'hommes à la fois tenaces et rêveurs, entreprenants mais circonspects, et toujours prêts aux accommodements. La douceur africaine a encore affiné ces traits lusitaniens en les enrichissant de sa joie un peu

triste, débridée en surface, mélancolique au fond. À leur tour, Italiens et Allemands, Balkaniques et Japonais, Juifs et Syro-Libanais n'ont plus eu qu'à se forger une âme brésilienne à partir de ces composantes essentielles : ils y ont réussi, sans perdre les qualités qui font le génie de leur race.

Inachevée, encore tâtonnante, tout en proie à sa difficulté d'être, déroutante pour beaucoup mais prodigieusement attachante, la civilisation brésilienne est, au sens propre du terme, un incomparable art de vivre.

Rio de Janeiro

Si une ville s'est jamais offerte au premier regard, c'est bien celle-là ! Aucun doute, voici la plus belle baie du monde, chaos superbe et gigantesque de montagnes abruptes aux formes bizarres, d'îles vertes émergeant de l'Océan émeraude, de quartiers orgueilleux dressant leurs falaises de béton au milieu d'une nature qui semble encore vierge.

Que l'on arrive par bateau ou que la cité se déploie sous les ailes de l'avion, le choc est identique. L'impression qui domine est celle d'un sublime caprice de la géographie, d'un fourre-tout magnifique où le Créateur aurait jeté pêle-mêle, pour étonner les hommes, tout ce qu'il avait sous la main de plus surprenant. Les Brésiliens, qui ont assez d'humour pour se moquer d'eux-mêmes, prétendent d'ailleurs que Dieu, après avoir fait un tel cadeau à leur pays, compensa sa largesse en peuplant ce décor exceptionnel de gens qui ne le méritaient pas. Ne retenons, en l'occurrence, que la fascination toujours recommencée des *Cariocas* (habitants de Rio) pour leur environnement. Rio est pour eux, une fois pour toutes, la *Cidade maravilhosa* (« Cité merveilleuse »), la *Belacap*, la belle capitale opposée à *Novacap*, la nouvelle capitale, Brasília.

Le trajet en taxi ou en autocar entre l'aéroport du Galeão et le centre de la ville risque pourtant de décevoir quelque peu. Il faut donc vite, si l'on n'a pas eu le loisir de jouir de la vue d'ensemble, monter au Corcovado (« Bossu »), et, au pied du Christ géant qui étend ses bras sur l'étonnant paysage, savourer tout à loisir, et sur 360 degrés, la beauté du site. L'expérience est d'ailleurs nécessaire pour se faire une idée de la topographie de la ville de Rio de Janeiro, laquelle n'est en rien évidente.

Le Rédempteur
de gauche à droite

À main gauche du Christ, le centre des affaires, prolongé par d'interminables faubourgs, dresse ses hauts buildings au-dessus du

port. De larges avenues (Rio Branco, Presidente Vargas) le quadrillent banalement, laissant cependant deviner des îlots aux rues étroites, pittoresques, et des clochers d'églises baroques. Car ce quartier des bureaux, des banques, des administrations et des sièges de société est aussi celui des vestiges coloniaux et des souvenirs du Rio de la Belle Époque. Les uns et les autres sont un peu écrasés par la masse abusive des modernes gratte-ciel, comme la charmante église Santa Luzia (XVIIIᵉ s.), que domine l'ancien ministère de l'Éducation — aujourd'hui palais de la Culture, œuvre de Le Corbusier, Lucio Costa et Oscar Niemeyer (1936) et certainement la plus réussie du Rio contemporain —, ou le couvent de Santo Antonio, consacré dès 1615, dont la silhouette trapue, isolée sur un promontoire, couronne le perpétuel chantier du Largo Carioca.

Le vrai centre historique se trouve Praça XV de Novembro, où la statue équestre de Jean VI, le souverain portugais qui, chassé par Napoléon, transporta sa cour et son gouvernement à Rio de Janeiro, contemple le port, tandis que, derrière lui, s'ordonnent les nobles bâtiments de l'ancien palais des Vice-Rois et d'un couvent de carmélites, prosaïquement convertis l'un en hôtel des Postes, l'autre en faculté de droit.

Si la ravissante petite basilique de la Glória, haut perchée sur son rocher, ne peut échapper au regard, il faut bien chercher, en revanche, le riche couvent de São Bento, qu'un groupe de constructions récentes dissimule au promeneur hâtif. Il est pourtant bâti, lui aussi, sur un *morro* (tertre), à proximité de la bruyante Praça Mauá,

▲
Symbole de l'évolution constante de Rio de Janeiro, l'église de la Glória, au charme un peu désuet, voisine avec une fontaine dont les Trois Grâces sont résolument modernes.
Phot. C. Lénars

▶
C'est parce que ce château néo-gothique était autrefois un poste de douane que ce minuscule îlot de la baie de Guanabara, relié à la terre par un môle, s'appelle Ilha Fiscal.
Phot. Errath-Explorer

avec laquelle sa solitude pleine de recueillement offre un contraste saisissant.

Pour saisir le charme du vieux Rio et retrouver, presque intactes, les images de ce qu'il fut au siècle dernier, le mieux est d'arpenter la Rua Ouvidor, la plus ancienne artère commerçante de la ville, de flâner un peu dans le quartier qui l'entoure, entre les grandes percées du XXᵉ siècle, puis, après avoir jeté un coup d'œil au Théâtre municipal, modeste copie de l'Opéra de

Paris dans l'écrin 1900 de la Praça Marechal Floriano — plus connue sous le nom de « Cinelandia » —, de s'enfoncer dans le dédale pentu des deux plus vieux quartiers résidentiels de Rio : Santa Teresa et Cosmo Velho.

Le vénérable viaduc dos Arcos, sur lequel ferraille le dernier tramway de la cité, conduit tout droit à Santa Teresa, où les riches *Cariocas* du siècle dernier faisaient bâtir leurs maisons d'été dans la fraîcheur de la verdure. Lacis de

ruelles escarpées, couleurs tendres des façades vieillottes et merveilleux points de vue, tel celui de la Chácara do Céu, la demeure où le mécène Castro Maia rassembla des chefs-d'œuvre d'art ancien et de peinture contemporaine.

On retrouve la même atmosphère aristocratique, peut-être moins fanée, en gravissant les premiers contreforts du Corcovado par la Rua des Laranjeiras — toute proche du palais de Guanabara, ancienne résidence de la princesse Isabelle, fille du dernier empereur Pierre II —, puis la Rua Cosmo Velho, sur laquelle s'ouvre, tel un décor de comédie italienne, le précieux Largo do Boticário. Au-delà, les hauteurs de Silvestre découpent en parcs luxuriants, autour de somptueuses résidences, des morceaux de forêt tropicale. Un funiculaire vous hisse d'une traite, sous des voûtes végétales, jusqu'au belvédère du Corcovado.

En 1931, année où fut érigé sur cette montagne le colossal Christ Rédempteur du sculpteur français Landowski, la dextre de la statue ne désignait encore qu'un paysage urbain très clairsemé, comparativement au centre-ville vers lequel se tend la main gauche. Vers le sud-est, le long de la baie, la cité se prolongeait par la

▲
La masse imposante du Morro da Urca, derrière lequel veille la haute sentinelle du Pain de Sucre, protège des vents du large les fragiles embarcations de plaisance du Yacht-Club de Rio de Janeiro.
Phot. F. Gohier

le Brésil

5

plage de Flamengo, ourlée de luxueux immeubles d'avant guerre, le quartier du Catete, où s'élevait le palais présidentiel dans lequel Getúlio Vargas se donna la mort en 1954, et enfin celui de Botafogo, qui ne le cédait en charme provincial qu'à la petite péninsule voisine d'Urca, dont les maisons à jardinet se blottissent, inchangées, au pied du célèbre Pain de Sucre (Pão de Açúcar).

Au-delà de l'énorme rocher, sentinelle altière séparant les eaux calmes de la baie des flots tumultueux de l'Océan, s'étend, sur 6 km, la plage de Copacabana. Une plage, Copacabana ? Bien sûr, et des plus spectaculaires, avec la courbe parfaite de son Avenida Atlantica, récemment élargie et plantée de palmiers, son sable blanc et les hautes falaises de ses buildings du front de mer. Mais aussi une véritable ville, abritant l'une des plus fortes concentrations humaines du monde. Quelques villas désuètes, perdues dans la masse de béton, évoquent encore le temps où Copacabana n'était que la station balnéaire de Rio. Au fil des décennies, cette tranquille vocation de plaisance échut à Ipanema, l'anse voisine, jusqu'à ce que cette dernière, à son tour saturée par la promotion immobilière, passe la main à Leblon, son prolongement naturel. Aujourd'hui, l'urbanisation *carioca*, ayant tout submergé, pousse ses tentacules jusqu'à la lointaine Barra de Tijuca où, voilà dix ans, il n'y avait que quelques buvettes en planches à la limite des vagues grondantes.

Une surprise de plus, dans cette géographie délirante : le vaste lac Rodrigo de Freitas, qui sépare Ipanema du Jardin botanique, justement fameux pour ses 7 000 variétés d'arbres et de plantes et ses nénuphars géants. Passant sous le Corcovado, un immense tunnel routier — le plus long, sans doute, que l'on ait jamais construit dans une ville — débouche sur le lac, mettant les plages et les quartiers résidentiels

◄
Le chaud soleil du Brésil permet aux habitants de Rio,
les Cariocas, *de profiter toute l'année de la magnifique*
plage de Copacabana.
Phot. Hermann-Gamma

À l'ouest de Rio de Janeiro, l'urbanisation galopante
a bordé la longue grève d'Ipanema d'un rempart
continu d'immeubles.
Phot. Schwart-Image Bank

qu'escaladent dans la verdure, pressés les uns contre les autres, les bidonvilles des *favelas*. Les habitants les plus démunis de Rio jouissent de la sorte des points de vue les plus beaux. Cela compense en partie l'absence de confort et d'hygiène. Assez, en tout cas, pour que les intéressés résistent autant qu'ils peuvent aux tentatives municipales visant à les reloger progressivement dans les cités-dortoirs de la périphérie. Comme on les comprend ! Rio reste l'un des derniers endroits du monde à offrir à ses pauvres un tel luxe gratuit.

Macumbas et futebol

Un des grands charmes de la vie *carioca* réside dans cette interpénétration familière de toutes les couches sociales. Les préjugés de couleur, s'ils existent, n'affectent guère, en tout cas, l'existence quotidienne, et la plage de Copacabana est bien à tout le monde. Il y a même une nuit de l'année où elle semble appartenir en propre à la population noire : celle de la Saint-Sylvestre, au cours de laquelle d'innombrables fidèles de la secte Umbanda, vêtus de robes blanches, viennent apporter, dans des barques fleuries que l'on pousse vers le large, les offrandes rituelles à Iemanjá, déesse de la Mer.

Ce culte primitif, célébré à la lumière tremblante de milliers de bougies, dans le roulement inquiétant des tam-tams et les gémissements des convulsionnaires, n'est que la plus spectaculaire des rumeurs venues du fond de la brousse africaine jusqu'à la porte des palaces de Rio. Quotidiennement, au coin d'une rue un peu déserte, le touriste qui sait voir peut tomber sur quelque curieuse nature morte, composée d'une tête de coq, d'un cigare, d'une bouteille de *cachaça* (eau-de-vie de canne), dont la présence signifie maléfice ou conjuration d'un maléfice. Sans grande difficulté, et à condition, bien entendu, de ne pas se laisser prendre au piège des « nocturnes » programmées exclusivement pour ses semblables, le même

▲
À plus de 700 m d'altitude, un immense Christ en béton, œuvre du sculpteur français Landowski, couronne le Corcovado et domine toute la ville de Rio.
Phot. Charliat-Rapho

du sud à quelques minutes du port et du centre des affaires.

Voilà la boucle du panorama fermée, mais nulle description ne saurait rendre compte de l'étonnement que l'on éprouve à voir surgir, au beau milieu de la cité surpeuplée, une douzaine de collines abruptes, aux formes baroques,

touriste pourra aussi assister à une authentique *macumba*. Les dieux de l'Afrique ne sont pas si jaloux, et les « mères des saints » qui président à ces liturgies d'un étonnant syncrétisme pagano-catholique ont, d'une certaine manière, toutes les vertus des bonnes chrétiennes.

Mais là où Rio de Janeiro se retrouve tout entière, là où son cœur bat vraiment à l'unisson, sans distinction de race ni de statut social, c'est dans la double célébration communautaire

◄
Véritables bidonvilles accrochés dans le plus grand désordre aux pentes abruptes des collines de Rio, les favelas *abritent tout un peuple de miséreux.*
Phot. A. Lepage

le Brésil

du football et du carnaval. Il faut assister une fois au moins à l'une des grandes messes du ballon rond dans l'immense stade de Maracanã, *o mais grande do mundo* (« le plus grand du monde »), évidemment.

Les matches internationaux, aussi prestigieux soient-ils, ne se pareront jamais du même folklore que ceux qui opposent deux clubs de la ville : le spectacle étant alors autant sur les gradins que dans l'arène, il convient qu'aux deux équipes en jeu correspondent deux masses antagonistes de supporters bien équilibrées, afin d'animer au mieux l'épopée qui se prépare. Rien donc de plus instructif qu'un bon « Fla-Flu » (entendez : *Flamengo* contre *Fluminense*) pour voir la fête à l'apogée de son délire. Au cas où vous la manqueriez, comptez sur la ville pour vous rappeler, à tout moment, l'importance considérable de l'événement. Ce ne sont, dans tout Rio, que hurlements des commenta-

teurs de radio et défilés de *torcedores* (« supporters ») agitant les drapeaux de leur club dans un assourdissant tintamarre d'avertisseurs.

Après cette expérience, vous ne douterez plus que le *futebol* (« football ») soit ici une affaire d'importance réellement nationale, et que d'une défaite ou d'une victoire brésilienne à la Coupe du Monde puissent dépendre la popularité et même, en d'autres temps plus libéraux, le sort d'un gouvernement.

▲
Les favelanos se consolent de l'inconfort de leurs taudis insalubres en profitant pleinement du soleil et de la vue.
Phot. Gohier-Pitch

▶
Le quartier résidentiel d'Ipanema, qui s'étire entre l'Océan et le vaste lac Rodrigo de Freitas, doit à sa relative tranquillité d'être l'un des plus huppés de Rio.
Phot. Hermann-Gamma

le Brésil

9

d'autres écoles, orgueil de Rio, remplira au mieux la double mission de distraire ses membres longtemps à l'avance par de sympathiques répétitions publiques et de placer ceux-ci dans les conditions d'enthousiasme qui leur permettront de décrocher le grand prix de l'année sur le thème choisi. Ce thème est généralement fort classique et plein de charmante naïveté : « libération des esclaves par la princesse Isabelle », par exemple, ou « un bal à la cour de l'empereur Pierre II », ou encore, dans un genre plus futuriste, « les richesses du Brésil de demain ».

Le raffinement extrême qui préside à cette fête n'est pas un des moindres sujets d'étonnement pour les néophytes du carnaval. Les costumes élaborés dans les bidonvilles sont dignes d'une scène d'opéra et d'un bon goût presque infaillible. Des décorateurs réputés y mettent souvent la main, sans pourtant que le spectacle y perde de sa spontanéité populaire. Encore faut-il ne pas se contenter d'assister à l'interminable défilé qui constitue le clou des nuits carnavalesques. Les coulisses ont ici une importance au moins égale à celle de la scène. Et les coulisses, ce sont les bals de quartier, les *gafieras*, où s'élaborent les « sambas-vedettes » de l'année, tandis que le *grão fino* (« gratin »),

▲
Carnaval de Rio : chacun des participants paie son costume de ses propres deniers, ce qui l'oblige souvent à économiser toute l'année.
Phot. Errath-Explorer

◄
Carnaval de Rio : pendant quatre jours et quatre nuits, pratiquement sans fermer l'œil, les Cariocas *chantent et dansent la samba dans une ambiance survoltée.*
Phot. Schwart-Image Bank

►
Carnaval de Rio : le point culminant de la fête est le grand défilé au cours duquel chacune des écoles de samba présente un thème différent, répété des mois à l'avance.
Phot. Hermann-Gamma

Sa Majesté Carnaval

Le carnaval, lui, ne dure que quatre jours par an, mais il exige des mois de préparation. Comme le football, il est placé sous le signe de la compétition. Les clubs sont seulement remplacés par les « écoles de samba ». Il ne s'agit pas de cours de danse, comme on pourrait le croire, mais d'associations formées par les habitants d'un quartier populaire, en général une *favela*, unis par des liens très étroits et dont la grande affaire, d'année en année, est de produire le *show* le plus beau, le plus ingénieux, le plus entraînant pour le grand défilé du dimanche soir sur l'Avenida Rio Branco.

C'est donc à qui, de *Mangueira*, de *Portela*, d'*Imperio Serrano* et des quelques dizaines

▲
Carnaval de Rio : les belles mulâtresses qui ornent les alegorias *(« chars ») sont habillées d'un rien, mais ce rien est parfois d'une somptuosité stupéfiante.*
Phot. Pictor-Aarons

le Brésil

13

les marginaux et autres noctambules de tout poil organisent leurs propres divertissements au Théâtre municipal ou dans leurs clubs de prédilection.

Imiter les riches, singer la cour impériale, se déguiser en marquis poudré ou en princesse d'un jour fut longtemps, pour les humbles à peau foncée, la raison même de cette foire aux illusions. Les riches en sont vite venus à imiter les pauvres, à leur manière, qui n'est pas toujours la plus élégante. Le mercredi des cendres remettra chacun à sa place, sans amertume superflue, le jeudi étant déjà, en quelque sorte, le premier jour du prochain carnaval.

La montagne ou la mer ?

Ne vous étonnez pourtant pas de voir, même à l'époque du carnaval, autant de gens aisés abandonner leur cité pour la montagne environnante. La tentation légitime de prendre le frais en altitude pendant la saison la plus chaude remonte à loin. L'empereur Pierre II donna ainsi son nom à Petrópolis, la plus ancienne station d'été aux abords de l'ancienne capitale. Une belle route en lacet conduit à cette villégiature fin de siècle, qui compte aujourd'hui près de 200 000 âmes. À 70 km du centre de Rio, un ancien hôtel de style anglo-normand, le Quintandinha, qui abrita jadis un casino et est aujourd'hui transformé en appartements, monte la garde parmi les forêts d'épicéas, les vertes pelouses et les massifs d'hortensias. Un faux air de Bavière, d'Écosse ou d'on ne sait quel alpage européen vous lave immédiatement de la moiteur des tropiques. Le style néogothique de la cathédrale (1882-1925), la bourgeoise munificence du palais impérial, le charme fin de siècle des belles allées où s'égrène, au fil de nobles demeures, la nostalgie imitative du vieux continent, raconte, à 800 m au-dessus de la mer, l'histoire d'un Brésil savamment patiné, où les veillées se font au feu de bois.

Teresópolis, ainsi nommée en l'honneur de l'impératrice Thérèse, épouse de Pierre II, étage ses villas, plus récentes dans l'ensemble,

au pied du pic Dedo do Deus (« Doigt de Dieu »), l'un des sommets de la serra dos Órgãos (« chaîne des Orgues »). Avec Nova Friburgo, fondée par des colons suisses, elle complète la trilogie montagnarde des *Cariocas*.

Les habitants de São Paulo, qui n'aiment pas être en reste avec leurs voisins de Rio, peuvent eux aussi se prévaloir de quelques belles stations d'altitude, et même de la plus haut perchée de toute la chaîne côtière : Campos do Jordão, nichée à 1 700 m dans la serra da Mantiqueira, au cœur d'une région qu'ils ne pouvaient baptiser autrement que « Suisse pauliste ». Entre les deux grandes cités, reliées par

◄

C'est le prince-régent Jean VI qui, au début du XIXe s., planta le premier des palmiers royaux de la magnifique allée qui est aujourd'hui l'orgueil du jardin botanique de Rio de Janeiro.
Phot. Meyer-Colorific

les 435 km de la Via Dutra, c'est d'ailleurs tout le versant ouest de la haute vallée du rio Paraiba qui offre un domaine privilégié aux amateurs de grandes randonnées dans les forêts d'araucarias, et même aux techniciens de la varappe, qui peuvent se mesurer aux murs impressionnants des Agulhas Negras. La Vierge miraculeuse locale n'est pas loin : on la trouvera un peu plus près de São Paulo, à Aparecida la bien nommée, entourée de ses ex-voto naïfs, de ses marchands de médailles et de ses pensions pour pèlerins modestes.

Vous préférez la mer ? Tournez-vous vers le levant : elle est là, toute proche des sommets.

À Rio, on a, en quelque sorte, le choix entre la Bretagne et la Côte d'Azur : au nord de la ville, la grandeur sauvage, ventée et un peu pelée des plages de Cabo Frio et d'Armação dos Buzios ; au sud, les charmes beaucoup plus tropicaux d'Angra dos Reis, au creux d'une baie admirable, parsemée d'îles vierges.

L'ouverture récente de la route littorale entre Rio et Santos a permis de désenclaver cette somptueuse *Costa Verde*, dont l'avenir touristique, s'il est intelligemment exploité, est plein de promesses. À mi-chemin entre les deux villes, le charmant petit port de Parati, aux vieilles maisons du XVIIIe siècle, mérite de devenir — comme il s'en arroge déjà le titre — un « Saint-Tropez brésilien ». Au-delà, les plages d'Ubatuba et de Caraguatatuba, dominées par la serra do Mar, conduisent à une autre charmante petite ville ancienne, São Sebastião, et à la grande île du même nom, surnommée *Ilha Bela,* dont les cocotiers font rêver les austères *Paulistanos* (habitants de São Paulo). Ceux-ci ont de plus en plus tendance à la considérer comme leur propriété et à la préférer aux célébrités balnéaires trop exploitées, trop envahies, de Guaruja, de Santo Amaro et de São Vicente, aujourd'hui trop proches de leur annexe portuaire de Santos.

▲
Les jolies maisons aux façades peintes du Largo do Boticário datent du temps où Rio de Janeiro était la capitale d'un empire.
Phot. Schwart-Image Bank

▲
Pendant la saison chaude, les Cariocas vont chercher un peu de fraîcheur sur les pentes verdoyantes de la serra dos Orgãos, dont l'empereur Pierre II et son épouse ont baptisé les deux principaux centres de villégiature : Petrópolis et Teresópolis.
Phot. A. Lepage

São Paulo

Comment définir São Paulo, sinon comme l'antithèse de Rio? Ce n'est pas seulement une question de taille (7 millions d'habitants pour Rio et sa banlieue; 12 millions au moins pour São Paulo et ses satellites). La différence réside dans l'esprit de la cité, dans son style de vie, dans l'idée qu'elle se fait de son avenir, dans le comportement de ses habitants. À Rio, on vit d'abord pour le plaisir, dans l'admiration perpétuelle et exaltée d'un décor qui apparaît comme un don du ciel, une incitation permanente à la contemplation. À São Paulo, on ne vit que pour le travail. Ce n'est pas une ville, c'est une ruche, une énorme chaudière, une fourmilière en perpétuelle expansion, en prolifération désordonnée, qui ne tire sa substance que de cette fuite éperdue en avant.

Au premier abord, on a l'impression de retrouver l'Amérique du Nord ou l'Europe industrielle. Tout ce que Rio possède encore de charme colonial, de séduction tropicale est ici aboli. À 800 m d'altitude, sur ce plateau aux hivers brumeux, il n'est plus question de s'abandonner à la douceur de vivre. La seule loi est de faire de l'argent, pour s'enrichir ou pour survivre. Drainant 45 p. 100 du produit national brut du Brésil, s'accroissant chaque année de 150 000 habitants, cette cité tentaculaire, qui dut sa première fortune au café, se considère, à juste titre d'ailleurs, comme la «locomotive économique du Brésil» (une locomotive remorquant, prétend-elle, une vingtaine de wagons à peu près vides et aux freins paresseux). Tous les «nouveaux Brésiliens» venus d'Italie,

► Coucher de soleil sur Torres, station balnéaire réputée du Sud, près de Porto Alegre.
Phot. F. Gohier

d'Allemagne, d'Europe centrale, du Moyen-Orient ou du Japon y conservent intact leur dynamisme d'immigrants aux dents longues, tandis que se renouvelle d'année en année, par vagues ininterrompues, le flux des migrants de l'intérieur, Nordestins faméliques, nécessiteux au premier degré, attirés par le miroir aux alouettes de la grande cité industrielle. La misère des uns justifie ainsi l'ambition et la voracité des autres. São Paulo n'a évidemment pas l'exclusivité de ce phénomène, mais c'est là, à coup sûr, qu'il est le plus sensible.

Il en résulte une sorte de ville imaginaire, avec ses quartiers de milliardaires, ses districts pour *middle class* et ses faubourgs tristes ou pouilleux, une ville qui n'accroche pas vraiment le regard, mais fascine néanmoins par son caractère insaisissable, sa monstrueuse vitalité. Du sommet de l'Edíficio Itália, la plus haute tour de São Paulo, on découvre une image fidèle de l'Amérique pionnière. Tout est large, haut, monumental, mais comme posé provisoirement sur le sol. Du viaduc du Chá, qui enjambe le cœur de la cité, partent d'immenses anneaux routiers aux entrelacs inextricables. Cette toile d'araignée se perd dans un horizon de latérite rouge, d'où surgissent encore des parcs d'exposition, des stades colossaux, des complexes pétrochimiques et des fabriques d'automobiles. Les noms indiens de la plu-

part des lieux-dits — Anhangabaú, Ibirapuera, Morumbi Ipiranga — racontent l'histoire de la conquête des terres de l'intérieur, une histoire qui se confond avec celle de São Paulo, ville missionnaire depuis le XVIe siècle. Fondée par les jésuites, elle fut, au XVIIe siècle, le point de départ des *bandeirantes,* des aventuriers de la croix, de l'épée et du négoce, dont les compagnies sans cesse renouvelées, poussant toujours plus loin l'exploitation des territoires vierges, suscitèrent tour à tour les miracles de l'or, des diamants, du caoutchouc et du café, avant que leurs successeurs, les capitaines d'industries du XXe siècle, ne prennent la relève.

Du passé le plus ancien, il ne reste plus guère de trace, en dehors du souvenir du père Anchieta, illustre évangélisateur, toujours vivant au Patio do Colégio, son premier établissement. Mais ne dites jamais à un *Paulistano* que l'histoire est absente de sa ville : il vous indiquerait tout de suite le chemin des musées. Celui d'Art sacré, par exemple, ou celui consacré à l'épopée des *bandeirantes.* Sous ce ciel apparemment peu propice aux raffinements de la grande peinture européenne, le mécénat du grand industriel Francisco Chateaubriand de Assis, disparu en 1969, a également accumulé, dans le cadre du nouveau musée d'Art de São Paulo (1970), des chefs-d'œuvre de l'impressionnisme français, des Rembrandt, des Picasso, aux côtés de toiles de quelques grands maîtres brésiliens comme Portinari ou di Cavalcanti, tandis que le parc d'Ibirapuera, où se déroule la traditionnelle Biennale d'art, abrite en permanence d'autres grandes toiles et sculptures de l'art contemporain.

Les amateurs d'émotions fortes visiteront avec intérêt le célèbre Institut Butantã, peuplé de serpents venimeux et d'araignées meurtrières. Une exception au Brésil, où il a toujours été du plus mauvais ton d'évoquer l'existence de ces bestioles sur le territoire national, aussi évidente soit-elle. De même qu'il ne viendrait à l'esprit d'aucun Brésilien d'exhiber un smoking blanc à une soirée, quelle que soit la température, le snobisme exigeant, à São Paulo comme à Rio, que l'on nie avec le plus d'aplomb possible l'exotisme tropical ambiant et tout ce qui en découle !

« Une ville qui passe de la fraîcheur à la décrépitude sans s'arrêter à l'ancienneté », notait déjà, il y a quarante ans, l'ethnologue Claude Lévi-Strauss à propos du conglomérat pauliste. La remarque ne cesse de se vérifier. Le vieux réduit citadin, auquel les édifices 1900 de la place de la République pourraient donner un certain caractère, n'arrive pas à prendre de la patine tant l'assaillent d'éternels chantiers, tant l'écrasent de nouveaux gratte-ciel, et la rue la plus élégante, celle des boutiques « parisiennes » et des bars à la mode, conserve, en dépit de tous les efforts, une ambiance de western.

Le tout est de ne pas s'arrêter à ces détails, de saisir la ville au bond, dans son prodigieux dynamisme, sans y chercher de souvenirs ni de plans pour demain. On lui trouvera alors très vite un charme puissant et sauvage, celui du temps sans mémoire ni remords.

Le Sud

Paraná, Santa Catarina, Rio Grande do Sul... Voici le Brésil méconnu. Méconnu, du moins, de la plupart des étrangers, exclusivement fascinés par le carnaval de Rio, les *candomblés* de Bahia, les sortilèges amazoniens ou l'épure surgie du néant de Brasília. Les trois États du Sud *(Sul),* qui regroupent 20 millions de Brésiliens et fournissent au pays 30 p. 100 de son revenu agricole et une part de plus en plus importante de son revenu industriel, sont pourtant bien loin de mériter l'oubli où on les laisse. À tout prendre, ils risquent même d'apparaître, aux yeux du touriste épris d'insolite, de curiosité au vrai sens du terme, comme la découverte la plus précieuse de son périple brésilien.

Il est vrai que, disposant de peu de temps, il serait déraisonnable de sacrifier Ouro Preto à Curitiba, ou Salvador à Porto Alegre. Mais sachez aussi qu'une incursion dans le Sud aura le mérite de vous faire connaître un Brésil qu'aucun stéréotype ne vous aura suggéré à l'avance. Le vrai pittoresque est-il celui que l'on attend, ou celui qui surprend ? Si vous préférez la surprise, glissez progressivement vers les climats tempérés de ce septentrion de l'hémisphère austral.

Les grandes cités n'offrent pas de curiosités particulières. Curitiba, la capitale du Paraná, est le centre d'une agglomération d'un million d'habitants, soumis aux rigueurs d'un climat d'altitude et d'une activité industrielle (bois, mécanique, conserveries) totalement dénuée de fantaisie. Londrina, dans le même État, est une ville-champignon passée de 33 000 habitants en 1950 à plus de 200 000 aujourd'hui. Florianópolis, capitale du Santa Catarina, dans l'île du même nom, doit à sa situation écartée d'avoir conservé un certain charme provincial et quelques jolis monuments portugais du XVIIIe siècle.

Quant à Porto Alegre, orgueil du Rio Grande do Sul et métropole du Sud brésilien, elle dépasse de loin le million d'habitants et il y règne une vivacité citadine qui évoque déjà l'atmosphère hispanique de Buenos Aires et de Montevideo. Rua dos Andradas, vouée aux piétons bavards, Largo da Prefeitura, Praça Marechal Deodoro : c'est toute la virile tradition *gaucho* du Brésil conquérant qui se perpétue dans cette capitale excentrique, patriote, à mille lieues du Brésil colonial, nonchalant, mystique et exalté des États du Centre et du Nord-Est. Brésil blanc, confronté au Brésil *caboclo* (« indigène ») des mulâtres et des Indiens...

L'Empire brésilien, puis la République ont toujours eu la sagesse de préserver l'équilibre entre ces deux pôles psychologiques du pays : l'agressivité rationnelle du Sud *gaucho* et l'inspiration poétique du Nord lusitano-africain. Aux brutales et franches cavalcades des uns répondait la politique plus retorse des seigneurs coloniaux de Bahia et de Recife, manipulateurs de *cangaceiros* (« matamores ») régionaux,

18

▲ *Des viaducs enjambent le Parque Anhangabaú, artère principale du « Nouveau Centre » de São Paulo, l'une des plus grandes villes du monde, où se pressent plus de 12 millions d'habitants (avec les banlieues).*
Phot. C. Lénars

▶ *Nourri à peu près exclusivement de viande, abreuvé de maté au goût amer, le gaucho brésilien est très attaché à son pays et à ses traditions.*
Phot. M. Bruggmann

rompus aux disciplines parlementaires, mais incapables de jouer seuls une partie nationale.

De temps à autre, au cours de l'histoire du Brésil, les cavaliers du Sud vinrent attacher leurs montures aux grilles du palais *carioca* du Catete, histoire de remettre un peu d'ordre et de rigueur dans la politique trop subtile du pays. Ce fut le cas, notamment, en 1930, lors de la prise du pouvoir par Getúlio Vargas.

Les *gauchos* sont toujours là, bien plantés sur leur selle, aspirant à longueur de journée, par leur chalumeau d'argent, des rasades de *chimarrão* (infusion de maté), antidote hygiénique à un régime carné trop riche en protéines. Mais il est bien évident qu'il faut maintenant aller les chercher assez loin dans l'arrière-pays, dans cette région frontalière de l'Uruguay que l'on appelle la *Campanha.*

Une mosaïque européenne

Une autre curiosité du Rio Grande do Sul est la zone dite «des Missions», que colonisèrent les jésuites et qui recèle de belles ruines d'églises du XVIIe siècle, comme celles de São Miguel, près de la petite ville de Santo Angelo. Au nord de Porto Alegre, la montagne reprend modestement ses droits. C'est la *Serrana,* pays de vertes collines et de vignobles aux produits tout à fait honorables. L'Europe vous y attend. Une Europe en miniature, morcelée, échantillonnée comme dans ces expositions universelles où l'on passe, au hasard des stands, d'une reconstitution d'Autriche à une reproduction d'Italie, d'un village souabe à un hameau polonais.

À Caxias do Sul, réputée pour la foire du Vin qui s'y tient tous les trois ans, l'atmosphère est résolument piémontaise, même si les immigrants transalpins qui ont fait prospérer cette ville de 200 000 âmes venaient de tous les coins de la péninsule. De même à Bento Gonçalves. Mais à Novo Hamburgo, à Nova Petrópolis ou à Dois Irmãos, inutile de demander un autre vin

▲

Le sud du Brésil est le domaine des troupeaux, des gauchos et des grandes chevauchées dans les plaines herbeuses.
Phot. M. Bruggmann

que le *Liebfraumilch* local, à moins que vous ne préfériez la bière, qui, ici, coule à flots et est excellente.

Passer ainsi, en quelques dizaines de kilomètres, d'un morceau d'Italie à un fragment d'Allemagne, du brun au blond, de la vivacité latine au gothique fleuri, sans cesser d'entendre parler portugais sur des musiques diverses, est un plaisir rare dans cet immense pays où la variété se paie, autre part, de parcours interminables.

La même alternance germano-italienne se retrouve, un peu plus au nord, dans le grenier à blé qu'est le Santa Catarina. Deux fois plus vaste, l'État du Paraná, peuplé aujourd'hui de 9 millions d'habitants, recèle, à la lisière de ses riches plantations de café et des immenses forêts de pins de son plateau central, d'étranges microcolonies d'Ukrainiens, de Polonais, de Souabes et de Transylvaniens, qui perpétuent, elles aussi, avec une touchante fidélité, les traditions populaires de leur patrie d'origine. Maisons à colombage d'Europe centrale, charrettes rustiques aux roues pleines et aux décors naïfs, alcôves et couettes des pays aux hivers rigoureux : abstraction faite de la latitude, rien de

tout cela ne sent l'artifice. C'est un peu « à côté », comme l'expression d'une nostalgie profonde qui aurait trouvé miraculeusement, dans cette nature vierge, assez de raisons de perpétuer l'Ancien Monde pour le faire revivre dans les verts pâturages et les chatoyantes clairières d'un Canaan exotique.

Les plus belles cataractes du monde

Du littoral de l'État de São Paulo à celui du Rio Grande do Sul, un glissement progressif abaisse le relief et transforme insensiblement l'exubérance tropicale en un horizon de dunes presque nordiques, jalonné de belles plages, dans le Santa Catarina notamment. C'est pourtant vers l'ouest, dans l'hinterland, au cœur d'une sylve extraordinairement luxuriante, domaine du rio Paraná, que se joue le grand opéra du Brésil méridional.

Ce pourrait être, lorsque l'on descend le fleuve royal, le spectacle grandiose des Sete

Quedas, les sept cataractes proches de la petite ville de Guaira. Elles sont malheureusement assez difficiles d'accès. C'est donc, plus vraisemblablement, à portée d'avion de São Paulo, le « son et lumière » permanent des chutes de l'Iguaçu, un affluent du Paraná qui plonge de 60 à 80 m de haut, dans l'irisation d'un arc-en-ciel toujours changeant et le fracas d'une musique wagnérienne, qui vous sera offert au programme. Ne le regrettez pas. Une nuit — au moins — au bel hôtel des Cataractes, dont les terrasses offrent une vue imprenable sur quelques-unes des 274 cascades titanesques qui composent, dans leur écrin de forêt, la magnifique ordonnance de ce site incomparable, sera pour vous un souvenir inoubliable. « Pauvre Niagara ! », résuma un jour judicieusement Mme Franklin Roosevelt sur le livre d'or de l'hôtel.

L'Iguaçu étant situé aux confins du Brésil, de l'Argentine et du Paraguay, on peut faire une incursion dans les deux républiques voisines et joindre ainsi au plaisir de contempler l'une des plus belles cartes postales du monde celui de franchir des frontières par d'exotiques chemins de contrebande ■ Philippe NOURRY

▲

Les chutes de l'Iguaçu, où une rivière large de plusieurs kilomètres se déverse dans une gorge étroite, sont parmi les plus spectaculaires du monde.
Phot. Barbey-Magnum

le Minas Gerais

Troisième État du Brésil par la superficie (593 000 km²) et la population (12 millions d'hab.), le Minas Gerais («Mines générales») occupe également une place prépondérante par le rôle historique et humain qu'il a joué dans la formation de la grande nation lusitano-américaine.

Imaginez un triangle un peu bancal, dont les deux angles de base seraient São Paulo et Rio de Janeiro, et le sommet, par-delà la barrière montagneuse qui isole le littoral, à 500 km environ au nord des deux grandes métropoles, sur un haut plateau où la lumière très pure souligne les contours érodés du paysage, serait Belo Horizonte, la bien nommée, troisième ville du Brésil (elle aussi) et centre d'une de ses plus belles régions touristiques. Dans ce triangle central s'est concentré depuis longtemps l'essentiel de la puissance du pays. À Rio était le pouvoir; à São Paulo, le café; dans le Minas, l'or.

C'est en 1696, sur les rives du rio das Velhas, que l'on découvrit les premières pépites. Le XVIIIe siècle exploita les mines jusqu'à épuisement, couvrant la région d'innombrables églises baroques et de ravissantes cités coloniales. Puis le fer et le manganèse prirent le relais de l'or. Alors naquit Belo Horizonte (1897). Vers 1950, la ville comptait déjà quelque 400 000 âmes. Aujourd'hui, la population avoisine 2 millions d'habitants. Ce fut, en quelque sorte, la première des villes-champignons du Brésil et le modèle de toutes celles qui allaient, à partir de rien, s'édifier et prospérer dans le pays tout entier.

Le plus grand charme de cette cité presque neuve, perchée à 850 m d'altitude, est son climat. La barrière mauve de la serra do Curral domine ses lointains, et ses derniers gratte-ciel démodent chaque année davantage les buildings 1920 de son récent passé. L'art brésilien contemporain y a pourtant écrit ses lettres de noblesse. On doit notamment à l'architecte Oscar Niemeyer, au peintre Cândido Portinari et au paysagiste Burle Marx le bel ensemble de Pampulha, avec son lac artificiel, ses jardins, son musée d'Art moderne et sa chapelle São Francisco. Tiré au cordeau, mais quadrillé de belles avenues qu'ombragent des ficus, le centre-ville garde, dans son animation, une sorte de sérénité qui a déserté depuis longtemps São Paulo et même Rio de Janeiro. La vie quotidienne continue de se dérouler dans une atmosphère provinciale, parfaitement accordée aux vertus des habitants.

Longtemps enfermé derrière ses montagnes, préservé des modes fugaces lancées par les capitales côtières, le peuple mineiro n'est pas, en effet, de ceux «qui s'en laissent conter». La France a son Auvergne, l'Espagne, sa Galice; le Brésil a le Minas Gerais, pays de bon sens paysan, de ténacité, d'épargne et de parcimonie bien raisonnée, ce qui n'exclut nullement l'es-

prit d'entreprise. L'administration, la politique, la banque sont les domaines d'élection du *Mineiro*. Longtemps la présidence de la République «tourna» entre les États de São Paulo, de Rio de Janeiro et du Minas Gerais. Il fallut la révolution de 1930 et l'irruption des *gauchos* de Getúlio Vargas pour élargir le jeu au-delà du fameux triangle. Mais, dès la fin du XVIIIe siècle, c'est sur cette terre du Minas que naquit l'idée de l'indépendance brésilienne.

▲
L'église do Carmo domine Ouro Preto, ancienne ville de l'or devenue une sorte de musée en plein air depuis que les filons aurifères sont épuisés.
Phot. Gerster-Rapho

Ouro Preto, berceau de l'indépendance

À cette époque, la capitale de l'État s'appelait Vila Rica ou, plus communément, Ouro Preto («Or noir»), nom qu'elle a gardé jusqu'à ce jour et qui ne doit rien au pétrole, mais à une qualité particulièrement recherchée du précieux métal. Des *bandeirantes* venus de São Paulo avaient découvert les richesses de la région à la fin du XVIIᵉ siècle, des vagues successives de prospecteurs les suivirent, et, en 1711, le site devint cité. Il fallut néanmoins attendre l'an 1740 pour voir s'y construire les premiers édifices en pierre. Le palais des Gouverneurs, qui abrite maintenant l'École des mines et son musée, inaugura la prestigieuse floraison d'hôtels nobles, de ponts, d'églises et de fontaines que l'on peut admirer aujourd'hui tels qu'en eux-mêmes un peu plus de deux siècles nous les ont légués dans leur environnement intact. Le dernier feu de l'art baroque portugais dans sa version coloniale — la magnifique église São Francisco de Assis — ayant été lancé ici en 1794, on s'émerveille de constater combien les cinquante dernières années du XVIIIᵉ siècle purent, dans ce coin perdu du monde, produire de délicieux chefs-d'œuvre, inséparables d'un art de vivre à la fois rustique et raffiné.

Si important était alors le rayonnement de la capitainerie du Minas Gerais et de Vila Rica qu'il ne faut pas s'étonner d'y voir naître, en 1789, le mouvement émancipateur qui allait donner au Brésil son premier héros national et son premier martyr. Ce mouvement, dit des *Inconfidentes* («Infidèles»), ne dépassa jamais, il est vrai, le stade de la conspiration. Un impôt extraordinaire, levé par la couronne portugaise ici comme ailleurs, lui avait servi de prétexte. Ses membres étaient des intellectuels nourris dans le sérail des encyclopédistes français et des pères fondateurs de l'indépendance des États-Unis. Comme Judas, l'un d'eux devait trahir, le jour prévu pour le soulèvement, la cause dont le Christ fut le célèbre «Tiradentes», de son vrai nom Joaquim da Silva Xavier. Da Silva Xavier était officier, mais il avait été — ou passait pour avoir été — dentiste, d'où ce sobriquet signifiant «arracheur de dents». Ayant endossé généreusement toute la responsabilité du complot, Tiradentes

fut pendu et écartelé à Rio le 21 avril 1792. Ses membres furent ensuite dispersés et exposés dans les principales villes du Minas. Ouro Preto eut droit à la tête, à laquelle l'imagerie populaire allait prêter les traits du Messie. Messie, Tiradentes le fut au demeurant, puisque, trente ans après son martyre, le 7 septembre 1822, le rêve d'indépendance qu'il incarnait se concrétisa enfin. Quelques mois plus tard, en mars 1823, Vila Rica, devenue, cette fois, officiellement Ouro Preto, accédait à la dignité de capitale de la province du Minas. Encore cent ans, et la voici, en 1933, promue monument national, une manière, sans doute, de compenser sa déchéance économique et politique au profit de Belo Horizonte. Reste aujourd'hui une ville-musée que peintres et écrivains brésiliens ont su coloniser et sauver de l'ennui.

Ouro Preto n'est pas une grande ville (elle ne compte guère que 35 000 habitants), mais son incomparable unité architecturale, le charme qui se dégage de ses ruelles en pente, de ses toits de tuiles brunes pressés au pied de l'Itacolomi, la haute falaise rocheuse qui domine la cité en font un de ces lieux magiques où le plaisir de vagabonder le dispute sans cesse à celui de découvrir et d'admirer.

Le meilleur guide, pour bien se pénétrer de la vieille Vila Rica, est toujours celui que lui consacra le poète Manuel Bandeira. Laissez-vous donc prendre par la main et emmener d'église en église, de vieux pont en fontaine, sur les chemins du passé. La nostalgie n'est peut-être plus tout à fait ce qu'elle était à l'époque où fut écrit cet itinéraire artistique et littéraire, mais comment se plaindre de voir renaître une ville morte? Depuis une quinzaine d'années, *bodegas* et *pousadas* animent de nouveau, comme au siècle de l'or, les abords de la charmante Praça Tiradentes. Des galeries d'art, des boutiques de vraies ou de fausses antiquités attendent les cars de tourisme. Les Brésiliens redécouvrent Ouro Preto, qui n'est pas encore Saint-Tropez, mais déjà une Saint-Paul-de-Vence que ne contrôlent plus tout à fait les *happy fews* qui l'ont lancée. *Cariocas* et *Paulistanos* de la bonne société cultivée n'en continuent pas moins de se donner rendez-vous au cœur de ce Minas «touristique et laitier», à mi-chemin de leurs métropoles côtières et de Brasília, pour des escapades de bon ton qui remplaceront peut-être un voyage en Europe. Quoi de plus séduisant, en fin de compte, que d'aller entendre une messe de minuit sous des voûtes sculptées par l'Aleijadinho?

Sur les pas de l'Aleijadinho

On ne saurait parler du Minas Gerais sans évoquer la figure du plus grand de ses artistes, l'omniprésent António Francisco Lisboa, familièrement surnommé «Petit Estropié» par ses contemporains. L'«Aleijadinho» (1730-1814) couvrit littéralement le Minas de ses œuvres. Son père était un architecte portugais, sa mère, une femme de couleur. Le scorbut et vraisem-

blablement la lèpre firent de lui l'artiste pathétique qui tailla dans la pierre de savon de son pays ses plus belles œuvres, le ciseau et le marteau attachés à ses moignons, rampant sur ses genoux matelassés de cuir. Figure légendaire, mais aussi admirable créateur, au style inimitable, à mi-chemin de Dürer et du Greco, auquel il semble avoir emprunté les formes étirées de ses personnages et jusqu'à l'orientale rigueur de son génie baroque.

◀

Infirme, rongé par la lèpre, l'Aleijadinho («Petit Estropié») sculpta pour le sanctuaire de Senhor Bom Jesus dos Matozinhos, à Congonhas do Campo, douze statues de prophètes qui sont considérées comme ses chefs-d'œuvre.
Phot. Schwart-Image Bank

Les plans de l'église São Francisco d'Ouro Preto, son portail, ses hauts-reliefs, c'est lui. De lui aussi les deux autels latéraux du Carmo, dans la même ville. Son corps tourmenté repose sous une dalle, devant l'autel de Notre-Dame-de-la-Bonne-Mort, en l'église de la Conception que construisit son père, Manuel Francisco Lisboa, mais son souvenir ne cesse d'exalter les grandes étapes du voyage au Minas Gerais. Il en est à la fois l'âme et le fil conducteur.

On retrouve sa marque puissante à l'église du Carmel de Sabará, autre cité de l'or, célèbre pour son musée, son théâtre — l'un des plus anciens du Brésil avec celui d'Ouro Preto — et sa chapelle do O ; à São João del Rei, où il conçut l'église-forteresse São Francisco, et surtout à Congonhas do Campo, où il sculpta, à soixante et un ans, son œuvre maîtresse : la série des douze prophètes ornant le parvis du sanctuaire du Bom Jesus dos Matozinhos, lieu

de pèlerinage qui, au début du mois de septembre, attire de grandes foules.

Mariana, humble voisine d'Ouro Preto, et Tiradentes, patrie du martyr de l'indépendance, aux portes de São João del Rei, complètent le circuit des villes d'art du Minas Gerais. S'arracher à ce morceau du Vieux Monde enclavé dans les immenses espaces américains n'est pas facile, mais cet État présente d'autres aspects qui méritent d'être évoqués.

▲

Chaque année, en septembre, le parvis monumental qui précède la petite église baroque de Senhor Bom Jesus dos Matozinhos devient trop petit pour accueillir les dizaines de milliers de pèlerins qui affluent à Congonhas do Campo.
Phot. Schwart-Image Bank

À l'ouest de Belo Horizonte, dans le bec que dessine la frontière du Minas Gerais entre les rios Grande et Paranaiba, s'étend un vaste plateau gréseux, dit *Triângulo mineiro*. C'est une région d'élevage, dominée au sud par les serras da Canastra et da Mantiqueira, dont les contreforts abritent les principales stations thermales du Brésil. Araxá, Poços de Caldas, São Lourenço, Caxambú n'ont sans doute plus d'excessives prétentions mondaines, en dépit de la proximité de la capitale pauliste, mais leur charme désuet ne laissera pas indifférents les amateurs du style 1920 « à la brésilienne ».

Le nord du Minas, en revanche, vous projette tout droit au seuil du *Sertão* (sorte de lande) sauvage. Les altitudes déclinent, la sécheresse sévit déjà. Diamantina, où naquit le président Kubitschek, fondateur de Brasília, est, comme son nom l'indique, la capitale pas encore déchue de la reine des pierres précieuses. Son musée du Diamant et ses églises baroques en font une pointe avancée du cœur historique de l'État. C'est la *Chapada diamantina*, région frontalière entre le royaume du chemin de fer, venu de la côte, et celui de la batellerie primitive, qui

règne sur le cours du rio São Francisco. Pirapora, où l'écrivain Georges Bernanos s'exila volontairement pendant la Seconde Guerre mondiale, est le point où l'on passe d'une civilisation à l'autre : d'un côté, les locomotives et leurs wagons chargés d'émigrants misérables, allant grossir les banlieues de São Paulo ; de l'autre, les bateaux aux figures de proue représentant des animaux mythiques, qui montent et descendent le grand fleuve de l'« unité nationale », le seul du Brésil dont l'orientation sud-nord rendit effectivement possible, au cours de l'histoire, une communication, par l'intérieur des terres, entre les richesses agricoles et minières du Centre-Sud et les savanes assoiffées du Nord-Est.

le Nord-Est

Neuf États — Maranhão, Piauí, Ceará, Rio Grande do Norte, Paraíba, Pernambouc, Alagôas, Sergipe et Bahia — composent la vaste région du *Nordeste* (1,5 million de km^2), où le tiers environ de la population brésilienne vit dans des conditions souvent dramatiques, décrites par des sociologues comme Josue de Castro et illustrées par tant d'écrivains et de cinéastes. Le Nord-Est est ainsi devenu synonyme de « tiers monde ». Un tiers monde évocateur de misère, de sécheresse et de grands cataclysmes, avec son cortège inquiétant et pittoresque de bandits d'honneur et d'exaltés mystiques, son « cycle du crabe » dans les terribles bidonvilles sur pilotis des grandes villes et son « polygone de la faim ».

Il convient d'apporter quelques nuances à ce schéma et surtout de distinguer d'emblée deux Nord-Est bien différents l'un de l'autre, celui de la frange maritime, le pays bien arrosé du sucre et du cacao, et la région deshéritée de l'intérieur, du *Sertão* et de la *Catinga* (« broussaille »), pays d'élevage très extensif, aux pluies extrêmement irrégulières : lorsqu'elles se

décident à tomber, elles causent autant de ravages que la sécheresse, laquelle se prolonge parfois plusieurs années de suite, engendrant famines et exodes massifs.

Sur le plan humain, le contraste entre les deux Nord-Est est tout aussi frappant. La côte humide est l'héritière de la vieille société esclavagiste, dominée par les *senhores dos engenhos*, « maîtres des moulins » broyeurs de canne. L'apport noir y a été très important, et les traditions africaines y sont encore bien vivantes, finalement plus exaltées qu'abâtardies par le syncrétisme qui les a adaptées au catholicisme. Le sentiment voluptueux de l'existence domine ici toute la vie quotidienne. Dans le *Sertão*, en revanche, c'est l'élément indien qui donne le ton à la société métissée des *caboclos* (« indigènes »), société fruste, farouche, de bouviers façonnés par la solitude des grands espaces, bardés de cuir pour se protéger des épineux de la forêt naine et, tout autant, de principes rigoristes excluant les plaisanteries sur la vertu des filles et les atteintes à leur dignité.

Ces deux mondes opposés ne se rencontrent guère, sauf dans la zone intermédiaire que les géographes appellent l'*Agreste*, domaine du café, des cultures vivrières et de quelques bons pâturages. Les grands marchés à bestiaux qui la jalonnent, comme Caruarú et Feira de Santana, la rattachent cependant davantage à la rude « civilisation du cuir » qu'à celle, foisonnante et savoureuse, du littoral, où le sucre imposa jadis la présence d'une nombreuse main-d'œuvre et, partant, la dialectique subtile et ambiguë des maîtres et des esclaves.

Le Sertão des prophètes
et des cangaceiros

La meilleure manière de découvrir le *Sertão* est sans doute de descendre le rio São Francisco en sens inverse du flux des émigrants se dirigeant vers le sud, les misérables *flagelados* (« flagellés »), sinistrés des sécheresses toujours recommencées.

▲
Déliés comme des traits de plume, les cocotiers brandissent leur bouquet de palmes devant le ciel nuageux de Baía de Todos os Santos, la « baie de Tous les Saints » frangée de plages blondes.
Phot. Dejouy-Explorer

Dans le sillage des étranges figures de proue commence une lente remontée du temps et de l'histoire, un long voyage au bout du dénuement. Bom Jesus da Lapa, Xique-Xique, Casa Nova : les haltes sont fréquentes, et toutes les étapes sont porteuses de légendes. La Lorelei des bords du Rhin s'appelle ici Iemanjá, la déesse des Eaux, et sur le faîte des montagnes courent des béliers incandescents, gardiens de trésors oubliés.

Pour rejoindre Salvador, on débarque à Juàzeiro, le cours du fleuve étant coupé, en aval, par le barrage de Paulo Alfonso. Juàzeiro mérite d'ailleurs que l'on s'y arrête, à cause de sa proximité avec la région de Canudos, chantée par le grand écrivain brésilien Euclides da Cunha (1866-1909). Son livre *Os Sertões* (traduit sous le titre *les Terres de Canudos*) est une épopée consacrée à la guerre sans merci que livrèrent, à la fin du siècle dernier, les troupes fédérales aux armées en guenilles du prophète Antonio Conselheiro. Canudos, qui fut la Nouvelle Jérusalem de ces malheureux fanatisés, est depuis longtemps rayée de la carte, mais on peut encore évoquer son souvenir en s'imprégnant de l'aridité terrible du paysage.

Un itinéraire plus septentrional, celui de la vallée du Jaguaribe, qui débouche sur la côte au sud de Fortaleza, permet une approche différente du *Sertão* et conduit à une deuxième Juàzeiro, Juàzeiro do Norte, patrie d'un autre thaumaturge, le père Cicero, ami et protecteur de *cangaceiros* et notamment du fameux Lampião, qui, vers 1920, terrorisa, avec sa bande de hors-la-loi, l'hinterland du Ceará, du Pernambouc et du Bahia. Il y a encore quelques années, on pouvait contempler, à l'institut médico-légal de Salvador, confites dans des bocaux de formol, les têtes coupées de ce « bandit d'honneur », de sa compagne Maria Bonita et de ses principaux lieutenants. Sans doute choquaient-elles par trop la sensibilité des touristes, car on les a retirées.

Exclu, de son vivant, par l'Église, le père Cicero, mort en 1934, est encore vénéré comme un saint. On lui attribuait des miracles, et il paraît qu'il continue d'en faire. Les innombrables pèlerins qui viennent chaque année accumuler les ex-voto dans sa modeste cure peuvent en témoigner. La hiérarchie catholique a édifié à Juàzeiro une immense basilique pour tenter de récupérer les âmes égarées par ce

dangereux déviationnisme, mais rien n'y fait : dans le *Sertão*, le *padre* fait toujours recette.

Bahia de tous les saints

Étonnant contraste que celui offert par la langoureuse Salvador (l'ancienne Bahia) à qui arrive des savanes jaunâtres de l'intérieur, jalonnées de carcasses de zébus blanchissant sous le ciel implacable où le vol noir des urubus dessine des couronnes funèbres ! La baie *(baía)* de Todos os Santos (« Tous les Saints ») n'a sans doute pas la majesté théâtrale de celle de Rio de Janeiro, et le temps — qui, ici, ne s'est jamais arrêté — n'a pas épargné ses outrages à Salvador comme à Ouro Preto, mais, de toutes les villes du Brésil, c'est elle la plus réellement belle et la plus douce à vivre : ni trop grande ni trop petite, « coloniale » et active à la fois, elle possède le charme incomparable des cités à l'harmonie parfaite.

En quelque saison que l'on s'y rende, Salvador surprend d'abord par une certaine qualité de l'air. Une brise légère court toute l'année sur

◄ *Classée « monument national », Olinda rêve dans la verdure au temps où son opulence lui permettait de rivaliser avec la toute proche Recife.*
Phot. J. Bottin

▲ *Depuis l'arrivée des conquérants portugais, qui défrichèrent l'étroite bande fertile s'étendant entre l'Océan et la savane, les plantations de cannes à sucre sont la richesse du Pernambouc.*
Phot. A. Lepage

cette portion du littoral, balayant les nuages humides et exaltant, le soir, le parfum des tubéreuses. Une atmosphère provinciale de bon ton flotte sur les avenues calmes et ombragées des quartiers résidentiels, qui descendent vers le charmant petit port de la Barra, dominé par son fort portugais. Kiosques à musique tarabiscotés, frontons attiques et blanches colonnades des anciennes demeures de la « gentry » locale évoquent le « vieux Sud » de la Belle Époque, parmi les hibiscus et les bougainvillées. C'est la première vision de la ville que l'on a en venant de l'aéroport, mais non le premier message de bonheur qu'elle a lancé, car tout le long du trajet, par la route du littoral, on a vu défiler des plages de rêve, sur lesquelles se penchent tendrement des palmiers mélancoliques. La plus séduisante est celle d'Itapão, derrière laquelle, sertie dans l'écrin de ses dunes éclatantes de blancheur, dort la lagune sombre d'Abaeté, autre séjour d'élection d'Iemanjá et rendez-vous des amoureux du dimanche.

Après cela, l'essentiel de Salvador reste à découvrir, et ses richesses réservent plusieurs jours de vraie joie. Nettement séparées, reliées entre elles par des rampes à forte pente et de vastes ascenseurs fin de siècle, deux agglomérations se superposent. La ville basse, celle du port et des maisons de commerce, vaut surtout par son animation et le pittoresque de ses marchés. Le Mercado Modelo offre une symphonie de couleurs et d'odeurs inégalable. On y trouve de tout : le mainate beau parleur et le singe miniature *(mico)* espiègle et familier ; les innombrables épices qui assaisonnent la cuisine bahianaise et la collection complète des grisgris accompagnant la liturgie des *candomblés* ; les colliers de coquillages dont se parent les solides matrones noires qui vendent au coin des

◄

On dit que Salvador — qui s'appela d'abord Bahia et fut la première capitale du Brésil — possède autant d'églises qu'il y a de jours dans l'année, mais ce n'est qu'une légende.
Phot. Dejouy-Explorer

▲
La Cidade Alta *(« Ville haute ») de Salvador, qui date*
de l'époque coloniale, est construite sur des hauteurs,
à quelque 70 m au-dessus de la Cidade Baixa *(« Ville*
basse »), édifiée en bordure de mer.
Phot. Duchêne-C. E. D. R. I.

du XVIIIᵉ siècle, aux façades couvertes d'azulejos ou de vagues de marbre, épaulent la falaise sur laquelle s'étagent la ville haute, ses palais et ses clochers. Au bout de la longue promenade qui ourle la baie, l'église Nossa Senhora da Boa Viagem, le fort de Monteserrat et la basilique Nosso Senhor do Bonfim se dressent sur un promontoire assailli par les joyeux embruns de l'Océan.

C'est sur la hauteur, dans les vieux quartiers du centre, que le cœur de Salvador bat avec le plus de force. La sympathique Rua Chile, qu'empruntent les cortèges du carnaval, conduit tout droit au Terreiro de Jesus, où s'élève la cathédrale du XVIIᵉ siècle et que prolonge le Cruzeiro de São Francisco, avec son admirable couvent baroque, foisonnant de sculptures dorées, et la façade platéresque de l'église du Tiers-Ordre de Saint-François. C'est le point le plus élevé de la vieille cité. De là, on redescend par les antiques pavés de la célèbre place du Pilori *(Pelourinho)*, ensemble étonnant de nobles hôtels récemment restaurés et de maisons populaires aux couleurs tendres, où s'accroche encore tout un petit peuple d'artisans. L'ancien couvent des Carmes et son musée, l'escalier monumental qui monte à l'église do Passo et la modeste académie de *capoeira*, où se perpétue la tradition de cette danse acrobatique, d'origine africaine, qui simule le combat de deux lutteurs, complètent, sans les épuiser, les merveilles de ce quartier à la fois mystérieux et intime.

La légende veut que Salvador possède autant d'églises qu'il y a de jours dans l'année. C'est sans doute exagéré, mais le splendide musée d'Art sacré est là pour rappeler le grandiose passé religieux de cette ville, qui fut la première capitale du Brésil et resta longtemps la seconde cité du pays, sans jamais cesser de mériter le surnom de « Rome des Nègres » que lui décerna Paul Morand et qui justifie le curieux envoûtement qu'elle exerce sur tous ses visiteurs.

rues les friandises de leur chaudron ; les bijoux d'argent, d'ivoire et de bois de Guinée que collectionnent les bourgeois de Rio et de São Paulo. Plus rustique, le marché d'Agua dos Meninos aligne ses poteries, ses vanneries et ses étals de crevettes séchées. De belles églises

Recife et Olinda

Salvador da Bahia est un monde à part, enfermé dans son cocon de douceur baroque. Recife, capitale du Pernambouc, est vraiment la grande métropole du Nord-Est, ouverte par son port de commerce à tous les vents du large et beaucoup plus sensible que sa rivale aux influences du *Sertão*. Cela se voit à la lutte

Salvador : l'église N. S. do Rosário das Pretos fut bâtie pendant leurs heures de loisirs par des esclaves noirs qui avaient constitué une congrégation religieuse.
Phot. Schwart-Image Bank

Salvador : jusqu'en 1932, un revêtement de plâtre dissimulait la façade de l'église du Tiers-Ordre de São Francisco, et c'est par hasard qu'un électricien, en posant un câble, découvrit son exubérante décoration.
Phot. A. Lepage

presque égale que le sang indien et le sang noir se livrent dans la population, et cela se sent aussi dans les mœurs et les rapports sociaux, plus marqués qu'à Salvador par le régime des grandes plantations et l'éthique propre aux seigneurs de la terre, les *coroneles* («colonels») tropicaux aux complets de lin blanc.

Construite d'abord par les Hollandais de Maurice de Nassau, pendant les dix-sept ans de colonisation batave que la région connut de 1637 à 1654, la ville doit son nom à l'îlot rocheux sur lequel s'était édifié le premier établissement portugais. Ces gens des Pays-Bas ne se trouvaient bien que dans des cités aquatiques. Ils firent de Recife une nouvelle Amsterdam, quadrillée par les rios Beberibe, Capibaribe, leurs affluents et les canaux qui les raccordent. Du Recife néerlandais, il ne subsiste plus grand chose, en dehors du clocher de l'église des Carmes, qui passe pour avoir été l'une des tours du palais de Maurice de Nassau. Mais le plan originel demeure, avec ses quatre quartiers historiques : Recife proprement dit, Santo Antonio, Boa Vista et São José. Le centre de la ville et son port s'y circonscrivent toujours, relativement étriqués par rapport à l'étendue actuelle d'une agglomération de près de 2 millions d'habitants, mais tirant de cette étroitesse toutes les ressources d'un art de vivre citadin particulièrement animé, où le

▲
Le relief accidenté de Salvador a fait précéder d'un large escalier l'église do Santissimo Sacramento, qui s'élève en plein cœur de la vieille ville, Rua do Paço.
Phot. Duchéne-C. E. D. R. I.

▶
Fleuves et rivières sont les chemins de l'Amazonie, mais leurs crues obligent les riverains à jucher leurs maisons sur des pilotis.
Phot. F. Gohier

typique qui remplace ici la samba des *Cariocas*, fait tourbillonner les Pernamboucains jusqu'au délire. Dans ce carnaval, qui passe, à juste titre, pour un des plus colorés du Brésil, avec ceux de Rio et de Salvador, l'influence noire est, bien entendu, prédominante. Elle se fait grave et liturgique dans le *maracatú*, défilé, au son des tambours, de délégations des sectes africaines vouées au culte de Xangô, dieu de la Foudre et des Éclairs. Elle est plus frénétique dans le *caboclinho* et le *quilombo*, évocateurs du folklore amérindien, et le *bumba-meu-boi*, la « danse du bœuf » venue du *Sertão*.

Recife a aussi ses plages, presque aussi magiques que celles de Salvador, notamment celle de Boa Viagem, de plus en plus construite malheureusement. Esquifs fragiles faits d'un simple tronc d'arbre, insubmersibles mais constamment balayés par les vagues, les *jangadas* des pêcheurs noirs font glisser sur l'Océan leur voile triangulaire. On les tire sur le sable à l'heure du crépuscule, avec les filets où palpitent des écailles nacrées : images de commencement du monde, à deux pas des buildings du centre et des *mocambos* misérables où s'entassent, dans une fraternelle promiscuité, les oubliés du progrès.

Longtemps rivale de Recife, Olinda, sa toute proche voisine, rêve sur sa colline à sa gloire perdue. Elle fut jadis la capitale de l'État, l'aristocratique cité des « seigneurs des moulins ». Elle aussi porte la marque des Hollandais, qui la reconstruisirent après l'avoir mise à sac, mais sa dominante architecturale reste portugaise. Ses rues en pente, bordées de vieilles maisons roses, pistache ou sang-de-bœuf, en font une sorte d'Ouro Preto maritime, recueillie et nostalgique, cernée par l'azur de l'Océan, havre de paix et de silence sous le balancement des palmes que font frémir les vents du large.

Du Pernambouc au Maranhão

Comme Maceió et Aracajú, capitales des États de l'Alagôas et du Sergipe, au sud du Pernambouc, João Pessoa, capitale du Paraíba et voisine septentrionale de Recife, est, pour le Brésil, une petite ville (230 000 hab.). Elle s'enorgueillit d'une très belle église, celle du couvent de São Francisco. Natal, enfouie dans ses dunes de sable, n'offre d'autre attraction que celle d'être le port le plus rapproché de l'Afrique, ce qui en fit une escale obligée pour les avions venus de l'Ancien Monde à l'époque de l'Aéropostale et du *Courrier-Sud*. Fortaleza, en revanche, doit au Ceará, l'un des États les plus vivants et les plus dynamiques du Nord-Est, une place de choix dans la géographie humaine du Brésil. Les *Cearenses* passent en effet, et parfois à juste titre, pour les plus fins politiques du pays. Sa tradition de culture a valu à Fortaleza le surnom quelque peu emphatique d'« Athènes du Nord-Est ».

Avec São Luís, capitale du Maranhão, nous retrouvons tout le charme des cités mortes,

prestige du passé se marie harmonieusement aux contingences architecturales du présent.

Sanctuaires et palais n'ont pas la somptuosité baroque de ceux de Salvador, encore que la Capela Dourada (« Chapelle dorée ») soit digne de leur munificence. Mais les façades, délicatement colorées ou découpées en arabesques de granite sombre et de chaux vive, composent partout de séduisants tableaux qu'encadrent les chevelures ébouriffées des palmiers royaux et que reflètent les miroirs d'eau. La place de la République, avec son palais du Gouverneur et son charmant théâtre néoclassique de Santa Isabel, forme, avec la rue Primeiro de Março et son célèbre Café Lafaiete, la « Pracinha » (place de l'Indépendance) et la très commerçante avenue Guararapes, le périmètre le plus animé de Recife.

C'est même trop peu dire lorsque vient le temps du carnaval et que le *frevo*, la danse

▲
Salvador : sa foisonnante décoration de bois doré, unique au Brésil, a valu à l'église du couvent de São Francisco le surnom d'Igreja de Ouro (« église d'or »).
Phot. Errath-Explorer

▶
Recife : l'église Santa Teresa, du tiers-ordre carmélitain, a été couronnée tardivement d'un fronton à volutes qui s'accorde mal avec la sobriété de l'ensemble.
Phot. J. Bottin

splendidement écrasées sous le poids d'un passé séculaire. La ville fut fondée par des Français, qui entendaient créer ici une «France équatoriale» et lui donnèrent son nom en hommage au jeune roi Louis XIII. Ils en furent chassés par les Portugais, qui couvrirent les maisons de splendides azulejos et construisirent quelques-unes des plus jolies églises du Brésil, telle Nossa Senhora do Desterro, très marquée par des influences orientales. Plus secrète encore, la petite ville-musée d'Alcântara, sur l'autre rive de la baie de São Marcos, s'endort dans un sommeil peuplé d'anges baroques et de fêtes évanouies. Mais déjà commence, dans la lourde moiteur des fleuves équatoriaux, des forêts putréfiées et des îles dérivantes, le grand trou noir amazonien.

l'Amazonie

Enveloppant le Brésil du nord à l'ouest, le monde amazonien — qui est aussi vénézuélien, colombien, équatorien, péruvien et bolivien — couvre plus de la moitié du territoire national, alors que sa population n'excède pas 6 à 7 millions d'habitants. Aux 3 millions et demi de km² — la superficie de l'Inde — que représentent les États d'Amazonas (Manaus),

▲
Salvador n'est pas un port commercial important, et, le long de ses vieux quais de pierre, les grosses barques à voile latine (saveiros) sont plus nombreuses que les cargos.
Phot. Bouillot-Marco Polo

du Pará (Belém) et d'Acre (Rio Branco), ainsi que les territoires fédéraux d'Amapá, de Roraima et de Rondônia, il convient en effet d'ajouter une grande partie des États du Mato Grosso et du Goiás, qui font géographiquement partie du bassin de l'Amazone. Ainsi se dessinent approximativement les contours d'un univers d'eau, de forêt équatoriale, de marécages et de savanes. Sa platitude est plus apparente que réelle, puisque, aux confins des Guyanes et du Venezuela, il comporte des massifs de 2 000 à 3 000 m d'altitude.

Le gigantesque fleuve qui le traverse n'est pas, avec ses 7 000 km, le plus long du monde, mais il en est le plus puissant par son débit (150 000 m³/s à l'embouchure). On l'appelle Marañón au Pérou et Solimões de son entrée au Brésil jusqu'à sa jonction avec le rio Negro, près de Manaus. Ce n'est qu'à partir de là, et jusqu'à l'Océan, qu'il devient officiellement le fleuve des Amazones, nom que lui donna son découvreur et explorateur, le conquistador espagnol Orellana. Sa profondeur permet aux navires de mer de remonter aisément jusqu'à Manaus, ceux de plus faible tonnage pouvant se risquer jusqu'à Iquitos, au Pérou. A la fin du siècle dernier, des lignes régulières de paquebots reliaient directement Manaus à Liverpool et au Havre. C'était le temps du boom de l'hévéa, la grande époque où le caoutchouc naturel fit la rapide, mais précaire, fortune de l'Amazonie. Après de longues années d'abandon et d'oubli, les Brésiliens sont repartis à la conquête de leur hinterland mystérieux en y perçant de grandes voies de pénétration. Ce fut d'abord la route Brasília-Belém (2 140 km), construite il y a une quinzaine d'années, puis la Cuiabá-Santarém et la Cuiabá-Porto Velho; enfin la fameuse «Transamazonienne», en voie d'achèvement, qui reliera Recife ou João Pessoa à la frontière du Pérou: 5 400 km pour la fraction brésilienne d'un axe monumental, traversant le continent dans sa plus grande largeur, de l'Atlantique au Pacifique.

Belém, Marajó et l'Amapá

La métropole du Nord amazonien n'en reste pas moins Belém (625 000 hab.). Sentinelle avancée, elle commande l'accès du grand fleuve à 120 km de la mer, sur la baie intérieure de Marajó, le long de laquelle elle s'étire démesurément.

Fondée dès le début du XVIIᵉ siècle, la ville garde encore quelques vestiges de son passé colonial, notamment le fort du Castelo, qui date de 1616, l'église Nossa Senhora das Mercês, entourée de vieilles maisons pittoresques, et une cathédrale du XVIIIᵉ siècle. Mais c'est au XIXᵉ siècle triomphant qu'elle doit son vrai visage, symbolisé par le superbe théâtre da Paz, le musée Goeldi, dans un beau parc zoologique et botanique, et le Ver-o-Peso, étonnant marché à la belle architecture métallique, digne d'un Eiffel ou d'un Baltard, dont le nom vient du cri *vero peso* («poids exact») qu'y lançaient les marchands. Régulièrement repeint, lavé à grande eau, il donne une rafraîchissante impression de salubrité, dans un environnement portuaire qui en manque souvent. Mais, à l'heure de la fermeture, un regard vers le ciel vous refroidit: des centaines d'urubus, ces vautours noirs qui assurent la plus grande partie des services de voirie, attendent, perchés au sommet des grilles, que le dernier visiteur ait quitté les lieux pour se précipiter sur les déchets des étals de boucheries. Loin des grouillements pittoresques, mais suspects, de son quartier fluvial, Belém frappe par la belle ordonnance de ses avenues et de ses jardins. Il faut parfois faire un effort pour se rappeler que cette classique «préfecture» de style 1900 est une cité du bout du monde, entourée d'une nature insondable et marquée au fer rouge par la barre impitoyable de l'équateur.

Une excursion de l'autre côté de la baie, dans l'île de Marajó, vous remet tout de suite dans l'ambiance. Située au milieu des bouches de

l'Amazone, cette île vaste comme la Suisse abrita, vers l'an 1000 de notre ère, une civilisation depuis longtemps disparue, celle des Marajoaras, sans doute d'origine andine, qui nous a laissé des céramiques d'un art raffiné. Les eaux du fleuve submergent régulièrement une grande partie de ce microcontinent, noyant chaque année des milliers de zébus, principale ressource de l'île. Jadis, les caïmans prélevaient sur eux la même dîme que les crues, mais les chasseurs de peaux ont, paraît-il, beaucoup contribué à faire disparaître ce fléau.

L'État du Pará se prolonge, au nord, par le territoire d'Amapá, frontalier avec la Guyane française et siège insolite de la plus grande mine de manganèse du monde, exploitée à Serra do Navio depuis 1953. Cette réalisation modèle, possédant chemin de fer, écoles et terrains de sport, apparaît comme un défi aux difficultés d'adaptation de l'«enfer vert». Celles-ci paraissaient autrefois insurmontables : elles ont pourtant été surmontées et elles le seront plus facilement encore demain, lorsque les considérables richesses minières de l'Amazone (le fer de la serra dos Carajas, par exemple) seront mises rationnellement en valeur.

◄

L'Amazone est par endroits tellement large que l'on distingue à peine les rives boisées quand on navigue sur le fleuve.
Phot. Bouillot-Marco Polo

En bateau vers Manaus

De Belém, les bateaux les plus rapides mettent trois ou quatre jours pour gagner Manaus. La «remontée de l'Amazone» paraît si fascinante aux candidats au voyage que l'on s'en voudrait de les décourager, mais il faut pourtant rappeler que le «fleuve-mer» *(rio-mar)* est tellement large, sur une grande partie du trajet, que l'on ne peut guère admirer ses rives, lesquelles sont d'ailleurs plus monotones qu'on ne le pense généralement.

C'est à partir de Monte Alegre, où viennent mourir les derniers reliefs du plateau des Guyanes, que le paysage commence à s'animer. Des prairies s'ouvrent dans la forêt, des *fazendas* («fermes») apparaissent, avec leurs troupeaux gardés par des *vaqueiros* à cheval. On s'attendait à trouver la jungle, on découvre une sorte de Far West marécageux. Santarém, au confluent du rio Tapajós, est la grande étape : la ville compte plus de 100 000 habitants. Vers le sud, une bonne route la relie à la «Transamazonienne», qui longe ici l'Amazone d'assez près, et à Cuiabá, la lointaine capitale du Mato

▲

Vestige de l'époque où la culture de l'arbre à caoutchouc faisait la fortune de la ville, la coupole multicolore du théâtre Amazonas est le point culminant de Manaus.
Phot. Vuillomenet-Rapho

Grosso. Mais c'est sans doute d'Óbidos, où le fleuve se rétrécit dans une passe tumultueuse large de moins de 2 km, que le voyageur gardera le meilleur souvenir : une jolie petite ville largement étalée au flanc d'une colline et l'impression de «rentrer», enfin, dans un paysage cernable.

Juste avant l'arrivée à Manaus, le spectacle de la confluence du rio Negro et du Solimões, où les flots sombres du premier courent longtemps sans se mélanger aux côtés des eaux jaunes du second, est un grand moment. De l'*Encontro das Aguas,* on peut gagner, dans les meilleures conditions de confort, le lac Januauri et, de là, en remontant des *igarapés* («marigots») encombrés de lianes et de nénuphars géants, pénétrer un peu mieux la forêt amazonienne, se mettre à l'écoute de ses oiseaux et plus encore de son silence, et tenter d'y traquer une faune fort intéressante, mais beaucoup plus discrète que celle d'Afrique.

Manaus a sa légende, et il faut bien qu'elle y fasse honneur. Des résidences en pierre de taille «comme à Neuilly», des kiosques extravagants, de beaux parterres de mosaïque et surtout le fameux Teatro Amazonas, où se

▲
Les rayons du soleil pénètrent difficilement l'épaisse forêt amazonienne, et les arbres aux troncs élancés ont bien du chemin à faire pour se hausser jusqu'à la lumière.
Phot. Barbey-Magnum

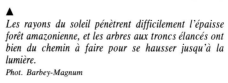

produisirent Caruso et Sarah Bernhardt, au temps où les rois du caoutchouc, qui régnèrent de 1880 à 1912 (ils furent ruinés par la concurrence asiatique), poussaient le luxe jusqu'à faire blanchir leur linge à Londres ou à Paris, lui assurent une gloire impérissable. On vient y méditer sur l'effondrement des fortunes, sur la fin des civilisations, et l'on trouve, comme sur les rives de l'Amazone, un peu autre chose que ce à quoi l'on s'attendait : en l'occurrence, un

port franc dont l'activité commerçante se moque bien des considérations sur la grandeur et la décadence des cités. Le rio Negro, ses quartiers sur pilotis et son marché flottant composent l'autre charme de Manaus, celui qui ne tire pas ses vertus de la mort. L'avenir touristique de cette cité de 400 000 âmes est d'ailleurs assuré par le nombre des lignes aériennes internationales qui y font escale et par l'infrastructure hôtelière qui s'y déploie.

◀

Les Indiens de l'Amazonie vivent encore d'une façon extrêmement primitive.
Phot. A. Hutchison Lby

▲

Pour tenter de sauver les rares survivants des tribus indiennes qui peuplaient le Brésil avant l'arrivée des Blancs, le gouvernement a créé à leur intention un certain nombre de réserves, où les touristes ne sont pas admis.
Phot. Schwart-Image Bank

le Centre-Ouest

Passer de l'Amazonie au Mato Grosso, c'est glisser insensiblement de la forêt noyée à la «grande broussaille» des savanes centrales, du domaine du *seringueiro* (saigneur d'hévéas), isolé dans sa cabane de bois au cœur de la *Selva*, au *garimpeiro* (chercheur d'or ou de diamants), tentant sa chance parmi d'autres sur quelques centaines de mètres d'un lit de rivière transformé en campement du Far West.

Cuiabá, la capitale de l'État, est une ville agréable et ensoleillée de 120 000 habitants, que concurrencent Campo Grande et, plus modestement, Corumbá, à la frontière bolivienne. Mais l'attrait du Mato Grosso — comme du Goiás, son voisin — est d'être, au seuil des grandes percées transamazoniennes, un immense *no man's land* où les frontières entre la civilisation et la vie sauvage sont très imprécises. Les Indiens, décimés depuis les premiers temps de la colonisation par la constante progression des Blancs vers l'intérieur, continuent de payer au progrès leur tribut de sang. Constamment repoussés et parfois purement et simplement massacrés par des aventuriers à la solde de *fazendeiros* («fermiers»), de prospecteurs ou

▲
Avec ses tours jumelles et ses coupoles inversées, le palais du Congrès de Brasília est très représentatif des conceptions d'Oscar Niemeyer, le fameux architecte brésilien qui fut le maître d'œuvre de la nouvelle capitale.
Phot. F. Gohier

le Brésil au temps de la conquête, il n'en reste sans doute pas plus de 80 000. Quelques tribus, vivant leur âge de la pierre au fond de la grande forêt, n'ont jamais été approchées par l'homme blanc. Ce sont certainement les mieux loties, avec celles que les frères Vilas-Bôas, Cláudio et Orlando, deux *Paulistanos* qui ont consacré leur vie au sauvetage des hommes rouges, ont pu attirer, retenir et protéger efficacement dans le parc national du Xingu. Là, au moins, on peut voir, dans leur milieu naturel, admirables de santé et perpétuant librement leur mode de vie ancestral, des Indiens heureux. Encore faut-il, pour être admis dans ce sanctuaire, des autorisations officielles très difficiles à obtenir.

La capitale du défi

La réserve du Xingu n'est qu'à une heure d'avion-taxi du district fédéral de Brasília, découpé dans l'État de Goiás. C'est dire que la nouvelle capitale — que les jets des ponts aériens mettent à quatre-vingt-dix minutes de Rio et de São Paulo — répond bien à sa vocation de cité pionnière, au cœur du « plus grand Brésil ». Le projet d'implantation d'une métropole politique sur ce haut plateau central, dont l'altitude est proche de 1 200 m et le ciel toujours pur, date de la fin du XIXe siècle, celui des utopies. C'est le président Kubitschek qui décida de lui donner corps en faisant appel aux deux plus grands architectes et urbanistes de son pays, Oscar Niemeyer et Lúcio Costa.

Commencée en 1953, inaugurée dès 1960, Brasília est aujourd'hui, avec ses satellites, une métropole de 700 000 habitants, qui outrepasse déjà sa vocation de pôle d'attraction de tout le Brésil central. Il faut la voir pour en juger. On peut aimer ou détester. Ce que l'on aime, en général, c'est l'« idée » de Brasília, la fascination qui se dégage de cette œuvre titanesque, surgie de la majestueuse grandeur d'un désert rouge, que seul égayent, de leur jeune verdure, les rives du lac artificiel de Paranoá. Ce que beaucoup détestent, en revanche, c'est la vie non moins artificielle qu'implique une ville sans passé, sans rues, sans buts de promenade ou même de flânerie.

Brasília, pourtant, tend peu à peu à devenir une cité comme les autres. Nul ne peut nier, de surcroît, la beauté de son dessin et de ses monuments. Les deux coupoles contrariées du Congrès, la cathédrale en forme de couronne d'épines, les palais aériens d'Itamaraty, du Planalto et de l'Alvorada comptent indéniablement parmi les œuvres maîtresses de l'architecture contemporaine. Et il est difficile de rester insensible aux grandioses proportions de l'Avenida Monumental et de la place des Trois-Pouvoirs. La création de Brasília était un défi ; le défi, en devenant une réalité vivante, est passé à l'histoire ■ Philippe NOURRY

▲
Brasília : sur la place des Trois-Pouvoirs, devant la Cour suprême fédérale, une statue de femme aux yeux bandés symbolise la justice.
Phot. Branchut-A. F. I. P.

▶
De novembre à juin, lorsque les pluies diluviennes font déborder les rivières de l'Amazonie, les arbres des berges ont les pieds dans l'eau.
Phot. Francolon-Gamma

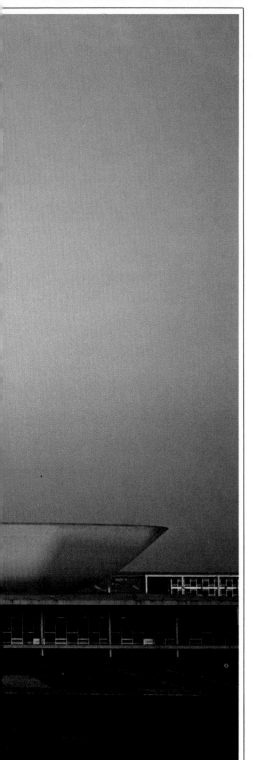

de grandes sociétés d'élevage, Tapajós, Chavantes, Bororos et Txicões échouent, au mieux, dans un camp de la FUNAI (Fondation nationale de l'Indien) ou dans quelque mission religieuse, salésienne généralement.

La civilisation, malheureusement, ne peut rien pour eux. Bien au contraire : la moindre grippe les tue individuellement, et le déracinement qu'ils subissent les tue collectivement. Sur les 3 millions d'Indiens que devait compter

▶
Le dôme de verre et de béton de la cathédrale de Brasília, qui peut recevoir 4 000 fidèles, est censé évoquer la couronne d'épines du Christ.
Phot. S. Marmounier

l'Argentine

De tous les grands pays de l'Amérique latine, l'Argentine est sans doute le plus méconnu. À quoi tient cette injustice ? Sans doute au fait qu'on ne peut lui appliquer aucun des stéréotypes qui caractérisent les autres nations. Le Brésil, le Mexique, le Pérou, la Bolivie et le Chili ont chacun leur image de marque. L'Argentine aussi, bien sûr, avec sa Pampa interminable, ses troupeaux innombrables et ses *gauchos* aux culottes bouffantes, mais c'est là une vision que l'on devine un peu monotone et sur laquelle on passe vite. On oublie ainsi que, au-delà de la grande plaine, se cachent des paysages qui sont peut-être les plus beaux du continent et, en tout cas, les plus variés que l'on puisse découvrir à l'intérieur des mêmes frontières.

Cette diversité est le principal attrait de l'Argentine. Elle s'explique en partie par l'im-

mensité du territoire : près de 3 millions de km², étagés du nord au sud (3 693 km) sous presque toutes les latitudes, depuis le tropique du Capricorne jusqu'aux glaces polaires de l'Antarctique. Elle est également due aux variations d'un relief qui descend progressivement des plus hauts sommets des Andes aux grandes platitudes de l'Est atlantique.

Sur ces terres contrastées vivent quelque 26 millions d'Argentins, qui ne se ressemblent pas tous non plus. L'élément européen, largement prédominant, donne à la République sa caractéristique humaine la plus visible, mais le sang indien ne se laisse pas totalement oublier. Les anciens *gauchos* qui forgèrent l'âme de ce pays étaient des métis, et les traits de la race indienne s'accusent lorsque l'on approche des régions périphériques. Fort peu de Noirs : colonie pastorale, l'Argentine n'avait que faire

du « bois d'ébène », voué aux grandes plantations. En revanche, toutes les ethnies du Vieux Continent se sont, au gré des grandes migrations du XIXe siècle, retrouvées sur ces rivages à peu près vides et inexploités. En 1850, l'Argentine n'avait que 800 000 habitants. Ils étaient 1 million et demi en 1870 et 8 millions en 1914, d'origine espagnole ou italienne pour la plupart, mais aussi venus d'Allemagne, d'Europe centrale, d'Angleterre, de France, de Russie, de Syrie et du Liban pour former l'un des rassemblements humains les plus hétéroclites du Nouveau Monde.

En dépit de cet afflux massif d'immigrants, qui transforma complètement le visage du pays en à peine plus d'un demi-siècle, l'Argentine reste l'une des nations du monde où la densité de la population est le plus faible (moins de 8 habitants au km²). Il faut dire que cette

▲
Les troupeaux de bœufs furent longtemps la seule richesse de l'Argentine, et ils restent une des bases de son économie.
Phot. M. Bruggmann

l'Argentine

1

République est d'abord une ville, une énorme métropole de 9 millions d'âmes, qui retient le tiers du potentiel humain dans ses rets économiques. La fascination qu'elle exerce sur les campagnes est une des clés de la civilisation argentine, et elle explique sans doute en partie la difficulté que nous éprouvons à comprendre ce pays, comme si la forêt de pierre, de brique et de béton qui se dresse au bord du río de La Plata nous cachait tout le reste.

Buenos Aires la magique

Voilà une capitale qui, généralement, n'a pas bonne presse. Ville banale, dit-on le plus souvent, ennuyeuse, grisâtre, dépourvue de tout pittoresque. Or, si l'on fait le voyage de l'Amérique du Sud, n'est-ce pas précisément pour se dépayser, pour se sentir « ailleurs » ? Alors, on est déçu. Le río de La Plata, dont le nom sonne si bien, c'est donc cette étendue d'eau fangeuse, où le regard se perd dans les brumes, ce port sans grâce, cette *Costanera* (« Côte ») qui aligne, presque tous semblables, les restaurants et les guinguettes où s'entasse la foule des dimanches ? Aucun monument historique vraiment digne d'intérêt. Pas le moindre vestige d'une grandeur passée. L'édifice le plus ancien de la ville est le rustique *Cabildo* (« hôtel de ville ») tout blanc de la Plaza de Mayo, au balcon duquel fut proclamée, en 1810, l'insurrection contre Madrid. Que faire d'une Amérique qui ne possède ni ruines précolombiennes, ni somptueuses églises baroques ?

D'immenses avenues quadrillent l'agglomération et se perdent dans d'interminables faubourgs, sans autres points saillants que la médiocre architecture d'un palais du Congrès

▲
Le chapeau plat à la mode andalouse et le poncho rouge vif constituent une sorte d'uniforme pour les gauchos du Salta, dans le nord-ouest du pays.
Phot. F. Gohier

inspiré du Capitole de Washington et du Sacré-Cœur de Montmartre, d'une Casa Rosada (palais du Gouvernement, de couleur rose bonbon) tarabiscotée, d'un obélisque géant et d'un théâtre Colon dont le prestige — mérité — ne transfigure pas la façade néoclassique. Avenidas de Mayo, Nueve de Julio, Rivadavia (l'artère la plus longue du monde, paraît-il), Corrientes : grands fleuves charriant interminablement leur trafic automobile, d'où se détache la note insolite et colorée des autobus surchargés de gadgets chromés et de fanfreluches, seul signe apparent de pittoresque tiers-mondiste dans cette cité tellement européenne que les gratte-ciel eux-mêmes paraissent presque incongrus.

Une atmosphère de banlieue triste baigne les quartiers sud, anciens villages de la Pampa dévorés par le Grand Buenos Aires : Avellaneda, Quilmes, Lanus, immenses agglomérations où bat le cœur industriel du pays, avec ses usines, ses entrepôts de céréales et ses abattoirs géants. Le touriste n'a vraiment aucune raison de s'y égarer, pas plus que dans les *villas miserias*, bidonvilles périphériques où s'entassent les derniers immigrants de la province, les *cabecitas negras*, attirés par le magnétisme de la ville abusive.

Le port lui-même, qui étire ses docks sur des dizaines de kilomètres, se remarque à peine. On le côtoie sans s'y attarder : la mer est si loin ! Seul le vieux quartier de La Boca, avec ses maisons basses aux tons de cassate napolitaine, ses bistrots populaires (et parfois assez snobs) où l'on vient déguster des fritures et des pâtes au son du bandonéon, dispense, comme une heureuse exception, ce romantisme d'escale que l'on n'attendait plus. C'est une surprise, et une surprise heureuse. Ce morceau de Sicile revu par l'optique septentrionale d'un Cendrars ou d'un Mac Orlan, cette petite Italie du Sud baignée d'une lumière froide déroute délicieusement.

Où est-on, en définitive ? La Norvège aussi a des ports couleur de dragées. Entre sud et nord, La Boca est comme une cité imaginaire, peuplée de méridionaux mélancoliques, sillonnée de ruelles mystérieuses où brillent, dans un

halo de brume, le quinquet du *farolito* (« réverbère ») et les pavés luisants du *caminito* (« petit chemin ») chers à Carlos Gardel. La Boca, lieu d'exil poétique, bercé par les accents déchirants du tango, « cette pensée triste qui se danse », né dans ces faubourgs à l'orée du siècle et dont la musique recèle toute la nostalgie et toute l'ambiguïté de l'âme émigrante.

Nostalgie et ambiguïté, voilà les mots clés de Buenos Aires. On les retrouve dans un autre vieux quartier, celui de San Telmo, tour à tour huppé, déchu et réhabilité par les artistes et les écrivains. Là, sous les ombrages du parc Lezama, se pressent les éventaires des bouquinistes et des artisans, tandis qu'antiquaires et brocanteurs élisent domicile autour de la Plaza Dorrego. Tous les souvenirs d'un siècle d'établissement précaire et pourtant bien réel sont réunis ici. Les descendants des immigrants viennent retrouver leurs racines dans ce marché aux puces plus émouvant encore que ses homologues du Vieux Monde, parce que plus étrange, plus imprévu. Ici, c'est l'Europe tendrement, humblement recréée, avec ses restaurants aux meubles luisants, aux rideaux de macramé, et ses cabarets où se perpétue, intellectualisé, le culte de l'éternel tango, ce brin de sophistication inséparable des chères vieilles choses que l'on remet à la mode.

À l'autre bout de la ville, l'ambiguïté vous guette encore. Le Barrio Norte (« quartier nord »), qui s'étend des frondaisons de la Plaza Général San Martín à celles du magnifique parc de Palermo, est une réplique de Passy, d'Auteuil et de Neuilly, avec ses hôtels particuliers en pierre de taille, édifiés par des architectes français ou leurs émules argentins pour les princes de la viande, de la laine ou du grain. Marquises à la Guimard, portes cochères pour attelages : c'est le Paris de la Belle Époque transplanté en terre australe. Les cimetières de La Recoleta et de Chacarita, aux fabuleux monuments funéraires, tiennent à la fois du Père-Lachaise et du Campo Santo de Gênes. Mais l'hippodrome de Palermo et le vaste amphithéâtre gazonné de la Sociedad Rural Argentina, où, en juillet, sont présentés, dans une atmosphère de concours d'élégance, les plus beaux spécimens du cheptel national, vous rappellent aussi ce que cette vie citadine doit à l'environnement d'un pays où le cheval et le bœuf sont rois. Entre le charolais, plus récemment introduit, et les traditionnels Aberdeen Angus, Herefords ou Shorthorns, monstrueux champions aux fronts bouclés, une insensible transition nous fait glisser de la France à l'Angleterre, qui fut longtemps la maîtresse incontestée des richesses de la Pampa.

Les banlieues cossues qui s'étendent entre Palermo et le delta de Tigre — Martinez, San Isidro, Vicente Lopez, Olivos, où réside le président de la République — portent, elles aussi, la « touche » britannique, qui éclate au cœur de Buenos Aires : le beffroi de brique, vague cousin de Big Ben, qui domine la gare du Retiro mérite bien son nom de Torre de los Ingleses, puisque c'est un cadeau de l'Angleterre de Victoria à la capitale de l'Argentine.

◄
Exterminés au XIXᵉ siècle, les Indiens de race pure sont rares en Argentine, mais on retrouve certaines de leurs caractéristiques physiques chez les métis, notamment ceux de la province de Mendoza, au pied des Andes.
Phot. Frey-Arepi

Mais le souvenir de Paris ou de Londres s'est à peine évanoui à l'angle d'une rue, au coin d'un square, que déjà surgit une image milanaise ou un instantané madrilène. Florida et Lavalle, rues piétonnières du Centre, où se pressent, entre les avenues Santa Fe et Corrientes, cinémas, théâtres, *whiskerias*, restaurants et boutiques de luxe, évoquent, par leur animation, l'Italie ou l'Espagne. Il arrive même que l'on saute d'une péninsule à l'autre en changeant de *cuadra*, la *cuadra* étant le pâté de maison de 100 m de côté qui, répété inlassablement, sert d'étalon-distance au promeneur et facilite le numérotage des immeubles.

Buenos Aires, qui invite si bien au jeu des analogies, ne saurait-elle donc se définir que par référence à diverses capitales européennes ? À première vue, on serait assez tenté de le penser, dérouté que l'on est par le scintillement cosmopolite de ce kaléidoscope. Et puis, au fur et à mesure que l'on pénètre mieux cette ville, on se laisse prendre au charme indéfinissable qui en émane, et l'on découvre, avec surprise, que la personnalité de cette capitale du bout du monde tient précisément à sa physionomie composite et fuyante. Son ambiguïté toujours

présente fait d'elle une sorte de rêve, un miroir légèrement déformant où se reflètent d'autres villes connues, patries perdues, ici réinventées.

Le Porteño ou l'angoisse de la solitude

Que les *Porteños* («ceux du Port», appellation traditionnelle des habitants de Buenos Aires) ne soient plus aujourd'hui que les fils, les petits-fils ou même les arrière-petits-fils des Européens déracinés qui transplantèrent leur regret de la terre natale sur les rives du río de La Plata ne change rien à l'affaire : le ton donné par les ancêtres immigrants est toujours là, déguisé, sans doute, et même vigoureusement démenti par l'affectation d'un chauvinisme vétilleux, mais, en fait, indéracinable. Ici, la nostalgie est toujours ce qu'elle était...

Mais qui est, au fond, l'Argentin moyen ? Un humoriste local en a donné, sur le mode culinaire, cette savoureuse recette : «Prenez, dans l'ordre, une Indienne aux hanches bien larges, deux *caballeros* espagnols, trois *gauchos* fortement métissés, un voyageur anglais, un demi-berger basque, un soupçon d'esclave noire. Laissez mijoter doucement pendant trois

siècles. Avant de servir, ajoutez brusquement cinq paysans italiens (du Sud), un juif polonais (ou allemand, ou russe), un cafetier galicien, trois quarts de marchand libanais, ainsi qu'une prostituée française à part entière. Ne laissez reposer qu'une cinquantaine d'années, puis présentez glacé et gominé.»

Plus simplement, on pourrait dire — on ne s'en prive d'ailleurs pas dans les autres pays de l'Amérique latine — que «l'Argentin est un Italien qui parle l'espagnol avec l'accent napolitain et qui se prend pour un Anglais».

Cette revanche de voisins à peau moins claire sur le sentiment de supériorité que les Argentins affichent parfois à leur égard traduit au moins une vérité : être Argentin, c'est aussi souffrir de ne plus savoir exactement qui l'on est. D'autres pays — et non des moindres : les États-Unis en premier lieu, le Brésil également — sont pourtant, eux aussi, des produits de l'immigration. Alors, pourquoi la mentalité immigrante a-t-elle résisté ici plus fortement qu'ailleurs ?

Deux raisons peuvent expliquer ce phénomène. D'abord, le caractère massif et assez homogène de l'immigration, en très grande

▲
Buenos Aires : la couleur de la pierre avec laquelle il est bâti vaut au palais du Gouvernement le surnom de Casa Rosada *(« Maison rose »).*
Phot. Boutin-Explorer

majorité italienne. Ensuite — et surtout —, le pouvoir cristallisateur de Buenos Aires, État dans l'État, ville-république mieux abritée par le cercle magique de la General Paz (son autoroute de ceinture) que ne l'était la Chine par sa Grande Muraille et jouant avec délectation son psychodrame citadin en vase clos.

Dans sa mentalité profonde, Buenos Aires est restée une fin en soi, le port ultime, la dernière escale dont la résistance au formidable appel d'air du grand vide qui l'entoure semble toujours la raison d'être.

Au demeurant, ce grand vide s'avère plus psychologique que réel dans la province de Buenos Aires, qui, en dépit d'une densité humaine très faible si on la compare à celle de

l'Europe ou des États-Unis (15 hab. environ au km²), n'en est pas moins la plus peuplée du pays. Mais, là encore, la grande majorité de la population est massée dans des centres urbains, dont le plus important est La Plata, la capitale provinciale. C'est à croire que le phénomène d'agglutination de Buenos Aires ne peut que se répéter sous l'empire de la sainte horreur que les Argentins éprouvent à l'égard de la solitude, ce mal atavique qui leur colle à la peau.

Le spectacle estival de Mar del Plata en est l'illustration la plus frappante. Sur la côte atlantique, à quelques kilomètres de plages immenses, absolument désertes, la plus étonnante concentration balnéaire des deux hémisphères répond comme un défi ironique à la définition que l'écrivain Scalabrini Ortiz donne de l'Argentin : «Un homme qui est seul et qui attend.» Hantise du vide, inquiétude inexprimée, angoisse d'une certaine absence, besoin effréné de se serrer les coudes, de sentir, même si l'on reste soi-même une île, la chaleur de son voisin. Ceci explique cela, et c'est le même instinct grégaire qui, le dimanche, rassemble les familles *porteñas* dans les *recreos* vaguement champêtres du delta de Tigre ou dans des stades prestigieux — River Plate, Boca Junior —, temples sacrés du ballon rond. Plus qu'ailleurs, demandera-t-on ? Oui, un peu plus encore qu'ailleurs. Du moins, ici, cela se sent davantage, et l'on en saisit surtout mieux les vraies motivations.

Les Argentins, qui sont de fins observateurs d'eux-mêmes et parmi lesquels on trouve de remarquables humoristes, vous mettent d'ailleurs vite sur la voie de leurs travers nationaux. Solitude et aliénation freudienne : ce sont les dialogues de sourds de la «femme assise» de Copi. Difficulté d'être, savamment masquée par l'impérieux souci de faire bonne figure : ce sont les fanfaronnades du «Dr Merengue», autre personnage de bande dessinée. Quant à

Mafalda, l'insupportable petite fille de Quijano, elle exprime fort bien les rapports d'amour-haine que nombre d'Argentins entretiennent avec leur patrie, en braillant à tout propos que «de telles choses, décidément, ne peuvent arriver que dans ce pays-là !»

«Ce pays-là», *este país...* La distance est ainsi marquée, infiniment subtile, entre la fascination d'une patrie idéale, conçue dans les rêves des immigrants, et la difficulté qu'éprouvent ces derniers à couper les amarres de la vieille histoire dont ils ont rompu le fil. Mais ce décalage même est une extraordinaire source d'introspection, et donc de richesse pour l'intelligence. La quête permanente d'identité s'avère, pour les intellectuels argentins, un profond stimulant, et elle les pousse sur des voies d'un extrême raffinement, dont le grand écrivain Jorge Luis Borges, romancier, poète et essayiste, offre le plus illustre exemple.

Buenos Aires occupe ainsi une place tout à fait singulière entre l'Europe et l'Amérique. Cette ville qui, au premier abord, paraît banale, sans grand attrait, se révèle, à l'usage, une cité dont il semble que l'on n'ait jamais fini d'atteindre la vérité, une sorte de creuset surréaliste où l'on s'enfonce de plus en plus. Ville de nulle part et pourtant terriblement présente, ville fascinante, ville envoûtante pour qui préférera toujours la magie des lieux indiscernables aux séductions faciles du pittoresque.

La Pampa
et les plaines tropicales

La Pampa est, à elle seule, toute la mythologie de l'Argentine. Deux mille kilomètres du nord au sud, mille au moins d'est en ouest, de l'Atlantique à la cordillère des Andes, et pas un

▲

Quartier italien de Buenos Aires, La Boca doit aux façades bariolées de ses maisonnettes un aspect insolite qui attire de nombreux visiteurs.
Phot. E. Guillou

▶

Buenos Aires : le palais du Congrès, abondamment orné de colonnes et de statues, est le siège de la Chambre des députés et du Sénat.
Phot. E. Guillou

obstacle pour arrêter le souffle épique du vent sur cette plaine métaphysique dont les pères fondateurs de la littérature argentine — Sarmiento dans son *Facundo,* José Hernández avec son *Martín Fierro* — firent, au siècle dernier, le Walhalla des modernes centaures qu'étaient les premiers *gauchos.*

On disait autrefois que les *gauchos* étaient obligés d'abattre une vache pour pouvoir attacher leur monture. Ils ont aujourd'hui d'autres recours : quelques arbres, tout de même, et les clôtures de fil de fer barbelé qui délimitent maintenant les *estancias* («fermes») et parquent les troupeaux. Mais l'austère poésie de la Pampa est encore tenace. Que peuvent les incursions du modernisme contre l'océan? Car la Pampa, sans doute formée jadis par des alluvions marines, est bel et bien un océan d'herbe, touffue dans la Pampa humide, rare dans la Pampa sèche, coupé parfois de lagunes salines et de marais, dont la course des nuages dans le ciel et les lentes migrations des bêtes à cornes accentuent encore l'immobilité.

La grande plaine centrale occupe le quart de l'Argentine, lui fournit ses deux grandes richesses — la viande et les céréales — et perpétue la légende de l'homme sauvage et libre, du cavalier indomptable dans laquelle tout Argentin du XXe siècle, en quête de racines, se plaît — abusivement, la plupart du temps — à reconnaître son ancêtre.

L'isolement des *estancias,* dont certaines couvrent plusieurs milliers d'hectares, n'est évidemment plus ce qu'il était autrefois, mais un style de vie en vase clos s'y perpétue autour de la maison du maître — souvent absent —, de la cantine locale et des dépendances qu'occupent les *peones* («ouvriers agricoles»), surveillés par le *capataz* ou le *mayordomo,* l'homme de confiance du patron.

La grandiose monotonie de la Pampa ne se dément pas le long de la côte atlantique, entre

▲
Fondée au XVIIe siècle pour l'évangélisation et la protection des Indiens Guaranis, la «réduction» de San Ignacio Miní fut abandonnée lorsque le vice-roi expulsa les jésuites.
Phot. E. Guillou

▲
Enchâssées dans la forêt vierge à la frontière de l'Argentine et du Brésil, les chutes de l'Iguaçu sont à la fois plus étendues, plus hautes et plus abondantes que les célèbres chutes du Niagara.
Phot. F. Gohier

Au nord-ouest, à 700 km de la capitale argentine, une muraille plus sérieuse barre enfin l'horizon : la sierra de Córdoba, annonciatrice des Andes avec ses 2 800 m d'altitude, ses routes en lacet, ses rivières et ses lacs. Des villages de vacances comme le centre de villégiature de Carlos Paz, sur le charmant lac San Roque, offrent enfin, après la steppe, le bonheur d'un paysage varié, d'un air léger, d'une transparence méditerranéenne.

Córdoba, qui dispute à Rosario le titre de seconde ville de la République, est une belle cité dont le dynamisme industriel n'altère pas trop le riche héritage colonial. Fondée en 1573 par des conquistadores venus du Pérou, l'universitaire et très catholique Córdoba réunit autour de sa cathédrale quelques-unes des plus intéressantes églises de style jésuite que l'on puisse voir en Argentine.

Au regard de Córdoba, Rosario et Santa Fe, sur la rive droite du Paraná, paraissent bien banales. Franchi le grand fleuve, que l'on peut descendre en vapeur jusqu'à Buenos Aires, le caractère tropical du climat s'accentue dans la province d'Entrerríos, terre d'élevage presque aussi plate que la Pampa, et bien plus encore dans celles de Corrientes, du Chaco et de Formosa, qui la prolongent au nord vers le Paraguay.

Depuis Posadas, capitale de la province des Misiones, où la Compagnie de Jésus établit, aux XVIIᵉ et XVIIIᵉ siècles, ses célèbres « réductions » indigènes — l'une des plus intéressantes entreprises de colonisation humaniste de l'histoire —, on peut visiter les ruines émouvantes de San Ignacio Miní, envahies par la forêt vierge depuis l'expulsion des jésuites en 1767. De là, il serait dommage de ne pas gagner le plus beau site naturel de toutes les Amériques, la merveille des merveilles, les cataractes de l'Iguaçu, qui, par leur puissance et leur sauvage beauté, éclipsent les chutes du Niagara.

Mar del Plata et Bahía Blanca, le grand port du blé. Il faut atteindre, à l'ouest, les collines pierreuses de Tandil pour se heurter enfin à quelque relief de terrain. Ces modestes hauteurs, à 300 km au sud-ouest de Buenos Aires, servirent de frontière au territoire abandonné aux Indiens jusqu'en 1879, où les soldats fédéraux du général Roca conquirent la Pampa au cours de campagnes qui, pour moins connues qu'elles soient, ne le cèdent en rien au folklore de la conquête de l'Ouest américain.

▲
Massacrés par les éleveurs dont ils volaient le bétail, les Indiens Guaranis ne sont plus que quelques dizaines de milliers dans la province des Misiones.
Phot. M. Bruggmann

▲
À Tilcara (province de Jujuy), un village inca (Pucará) a été reconstitué dans un décor naturel d'une austère grandeur.
Phot. E. Guillou

Situées aux confins de trois pays, l'Argentine, le Brésil et le Paraguay, les vingt prodigieuses cascades qui forment le principal rideau de scène de l'amphitéâtre d'Iguaçu méritent d'être admirées aussi bien du côté argentin, où l'on a construit récemment un établissement de grand luxe, que du côté brésilien, depuis les terrasses du charmant vieil hôtel des Cataractes, dont les murs roses sont mieux adaptés au caractère éminemment romantique des lieux.

Andes du Nord
et Méditerranée andine

En route vers la barrière des Andes, on ne quitte pas le tropique du Capricorne en parcourant les provinces de Salta et de Jujuy, qui se haussent, au nord, jusqu'à l'Altiplano bolivien. Pourtant la physionomie du pays est toute

différente de celle des plaines tropicales du Chaco, de Formosa ou de Santiago del Estero. C'est ici le domaine sec du cactus-candélabre, des décors de western à la lumière tranchante et des Indiens Coyas en atours pittoresques, *ponchos* aux couleurs vives et chapeau de feutre rond. C'est aussi le berceau de la plus vieille Argentine, celle où commencèrent par s'installer les conquistadores venus de Lima ou de Potosí, celle où se sont maintenues le plus

longtemps les traditions « caudillistes » et les mœurs patriarcales de l'Espagne créole. En bref, c'est la plus dépaysante, la plus séduisante des régions de la République, celle, en tout cas, où l'on se sent le plus loin de Buenos Aires et de son artificielle et cosmopolite magie.

Salta, patrie de Güemes, célèbre général *gaucho* et héros de l'indépendance, ordonne son rêve colonial autour d'une belle place blanche, où se maintient encore, à l'ombre de

▲

La présence d'oxydes métalliques dans le sol pare de teintes inattendues les pentes arides, hérissées de cactus-candélabres, qui entourent Tilcara.
Phot. F. Gohier

▶

Véritable oasis dans le chaos minéral des Andes, la quebrada (« vallée encaissée ») de Humahuaca offre un rafraîchissant paysage de verdure à près de 3 000 m d'altitude.
Phot. E. Guillou

la cathédrale baroque, la charmante habitude du *paseo* («promenade») crépusculaire.

San Salvador de Jujuy, plus au nord, ne manque pas de charme non plus, mais ce sont les paysages, ici, qui tiennent la vedette. On ne peut guère en rêver de plus spectaculaires que ceux des *quebradas* («vallées encaissées») de Huamaca et de Huacalera, dont les falaises multicolores évoquent la splendeur aride du Grand Canyon du Colorado, ou encore des superbes vallées *calchaquis,* du nom des Indiens (également connus sous le nom de «Diaguites») qui donnèrent jadis bien du fil à retordre aux conquérants espagnols. Des routes vertigineuses épousent tous les accidents de ce chaos minéral dont la végétation change en quelques kilomètres au gré de l'altitude. L'une de ces vallées conduit par La Quiaca, à 3 442 m, vers le monde lunaire de la Bolivie. Les plus aventureux pourront aussi emprunter l'invrai-semblable chemin de fer qui, de Salta, par le col de Chorrillos (4 450 m) et San Antonio de los Cobres, dévale vers le désert chilien d'Ata-cama et le Pacifique.

Après les émotions fortes que procure l'ex-trême Nord andin, l'industrieuse province de Tucumán, vouée à la canne à sucre, et celles de Catamarca et de La Rioja, assoupies dans le souvenir de leur brillant XVIIIᵉ siècle, forment une sorte de transition apaisante vers les hauts

▲

Au nord de l'Argentine, une région de falaises et de pitons rocheux, parsemée de rares points d'eau, annonce la grande muraille des Andes.
Phot. Burri-Magnum

l'Argentine

produit les meilleurs crus argentins —, de l'olivier et des vergers savamment rafraîchis par un réseau d'*acequias* («canaux d'irrigation») qui remonte, dit-on, à l'époque des caciques indiens. À l'horizon, majestueuse, compacte, omniprésente, la formidable muraille de la Cordillère déploie ses pics enneigés sous un ciel immuablement bleu.

Ce décor et ce climat, l'un comme l'autre exceptionnels, font de Mendoza, cité de 500 000 âmes, fondée en 1561, la ville la plus agréable à vivre de l'Argentine. Bonne chère, bons vins et, pour la promenade, beaux mails ombragés de platanes qui rappellent la Provence. Pratiquement plus de monuments anciens, malheureusement, ces derniers ayant tous été rasés, au siècle dernier, par un des redoutables séismes qui secouent périodiquement cette terre généreuse. San Juan subit le même sort en 1944, mais cette menace perpétuelle ne parvient pas à altérer la qualité de vie qui règne dans ces provinces du Cuyo, ni à entraver un essor touristique croissant.

Dominant Mendoza, le Cerro de la Gloria est couronné d'un imposant monument de bronze, érigé à la gloire de l'armée du général San Martín, partie d'ici pour libérer le Chili après une épique traversée des Andes. La route et le chemin de fer suivent cet itinéraire historique, qui est le moyen le plus commode d'aborder la majesté glacée de la Cordillère, royaume du condor et théâtre des exploits des pionniers français de l'Aéropostale.

Passé la station thermale de Villavicencio, la véritable ascension commence à Uspallata, parmi d'impressionnants ravins et les silhouettes tourmentées de pitons auxquels on a donné le nom de «Pénitents». À Puente del Inca, on est déjà à 2 718 m d'altitude, et c'est à plus de 3 800 m que l'on atteint la frontière chilienne, au col de la Cumbre. Le col est dominé par la silhouette, insolite dans ces parages désolés, de la statue du Christ Rédempteur bénissant l'«amitié éternelle» — mais souvent démentie — qui unit l'Argentine et le Chili. La masse orgueilleuse de l'Aconcagua se dresse à 6 960 m, entourée d'autres sommets considérables, mais de moindre renom, et l'on s'étonne d'être arrivé si facilement sur l'un des toits du monde.

▲
Dans la province reculée de Jujuy, où la civilisation moderne pénètre très lentement, on utilise encore des ustensiles en terre cuite pour la plupart des tâches ménagères.
Phot. E. Guillou

Lacs de Patagonie
et terres australes

À quelques centaines de kilomètres au sud de Mendoza, la Cordillère est une autre montagne. Affaire de latitude, évidemment, mais aussi d'altitude, car moins hautes, moins massives, les Andes laissent désormais passer les vents humides du Pacifique. Un somptueux manteau de végétation alpestre permet ainsi à la région des lacs, justement renommée, de se parer du titre de «Suisse argentine».

La Suisse? Sans doute, mais une Suisse de commencement du monde, une Suisse où, comme aurait dit M. Perrichon, «la main de

sommets des Andes centrales et leur aimable piémont, constitué par les provinces de San Juan, Mendoza et San Luis.

Toute la séduction méditerranéenne, avec son alternance de garrigues assoiffées et de luxuriantes oasis où les rideaux de saules et de peupliers se mêlent aux palmeraies, émane de cette région, à laquelle les Argentins ont conservé son vieux nom indigène de «Cuyo». C'est, par excellence, le pays de la vigne — elle

▶
Les colons européens ont refoulé les Quechuas dans les régions les plus pauvres de l'Altiplano.
Phot. Burri-Magnum

l'homme n'a pas encore mis le pied ». Plutôt la Norvège, mais en plus grandiose, en plus surprenant. Il faut se rappeler que, il y a cent ans, ces majestueuses forêts d'araucarias et d'autres essences d'une admirable variété, ces lacs innombrables, où les montagnes découpent des fjords wagnériens, étaient encore le domaine inviolé des redoutables Indiens Araucans pour ressentir pleinement l'émotion qui se dégage du spectacle de cette nature vierge, à la fois paisible et effrayante.

Cette virginité n'est plus tout à fait le lot de San Martín et de Junín de los Andes, les deux principaux centres de villégiature du parc national de Lanín. Ni, *a fortiori*, de San Carlos de Bariloche, capitale touristique du lac Nahuel Huapí (500 km²) et rendez-vous presque obligé des lunes de miel argentines. On y vient en hiver pour le ski, en été pour les inépuisables ressources de romantisme qu'offrent les paysages découverts de la péninsule de Llao-Llao (pourvue d'un admirable hôtel de style autrichien) ou de la vallée du río Limay, que l'on dit « enchantée » et qui l'est presque.

Mais, dès que l'on quitte ces paradis relativement aménagés de la pêche sportive, de la chasse au gros gibier et des excursions en montagne, l'impressionnante sauvagerie de la nature à l'état brut reprend aussitôt ses droits.

Au sud du parc national du Nahuel Huapí, c'est-à-dire à 2000 km de Buenos Aires, d'autres réserves touristiques, où l'on n'ose guère s'aventurer faute de commodités, restent à conquérir. Les aventureux pousseront jusqu'aux forêts de mélèzes d'Esquel, principale localité du parc de Los Alerces, et, au-delà, jusqu'au parc de Perito Moreno, au climat déjà nettement plus rude. Mais combien auront le courage d'accéder, beaucoup plus au sud, dans le parc de Los Glaciares, à l'immense lac Argentino (1500 km²), où se brisent en icebergs les glaciers descendus du célèbre pic Fitzroy et d'autres sommets patagons?

Ce n'est pas que le voyage soit impossible, loin de là, mais où mène-t-il, sinon à ces rêves d'enfance qui s'appellent détroit de Magellan, Terre de Feu, cap Horn? Lieux fascinants que

◄
Il y a quelque dix mille ans, une peuplade de Patagonie a constellé d'empreintes de mains les parois de la Cueva de los Manos, près de Perito Moreno.
Phot. Burri-Magnum

▲
*L'immense lac Argentino, joyau du parc national de
los Glaciares, est alimenté par les glaciers descendant
de la cordillère des Andes.*
Phot. F. Gohier

▶
*Justement redoutée des alpinistes, l'imposante aiguille
granitique du mont Fitzroy surgit d'un blanc manteau
de neige aux confins de l'Argentine et du Chili.*
Phot. F. Gohier

l'on devine maudits et qui ne démentent pas trop leur réputation. Magnifique côté montagne, la Patagonie se révèle en effet, côté plaine atlantique, d'une monotonie encore plus désespérante que la Pampa, dont elle est le prolongement austral. Un prolongement voué à l'élevage du mouton et, ce qui est beaucoup plus intéressant pour l'économie du pays, à l'exploitation du pétrole, qui a trouvé sa capitale dans le port de Comodoro Rivadavia.

Pour le reste, c'est le royaume du vent, qui, à 180 km/heure, brise les nerfs les plus solides, et celui des forêts naines pétrifiées. Après Río Gallegos, le Chili pousse une pointe jusqu'à l'Antarctique, isolant du nord de la République la partie argentine de la Terre de Feu, dont la capitale, Ushuaia, au bord du canal de Beagle, ne peut se prévaloir que de deux curiosités : avoir servi de bagne à nombre de prisonniers politiques et être la « ville » la plus australe du

monde. Les Indiens Fuégiens, qui avaient intrigué Magellan et qui étaient encore assez nombreux au siècle dernier, ont pratiquement disparu de ce paysage surréaliste, liquidés par les éleveurs de moutons.

D'Ushuaia, il est possible de s'embarquer pour le redoutable cap Horn, à la pointe méridionale de l'île chilienne du même nom, et, au-delà, de gagner le secteur que l'Argentine s'est taillé dans le pôle austral. Mais le nationalisme

▲
Deux larges boucliers de cuir, les guardamontes, *protègent les jambes du* gaucho *contre les arbustes épineux.*
Phot. Phillips-Image Bank

L'Uruguay

Pendant longtemps, la République orientale de l'Uruguay a fait figure de pays modèle, d'oasis de paix et d'équilibre dans une Amérique du Sud soumise à d'incessants pronunciamientos et à une injustice sociale chronique. Enchâssée entre l'Argentine et le Brésil, de langue espagnole et appartenant à la même civilisation du río de La Plata que l'Argentine, mais subissant fortement l'attraction économique du Brésil, qui l'annexa de 1821 à 1827, cette petite nation de 186 926 km² et de 3 millions d'habitants éprouve manifestement plus de mal que jadis à préserver son identité privilégiée d'État tampon.

C'est un pays de pâturages et de collines, irrigué par de nombreuses rivières, tempéré dans tous les sens du terme, dont le plus haut sommet ne dépasse pas 500 m et dont les villes de l'intérieur ressemblent à de grosses bourgades tranquilles. La Pampa y est plus fertile qu'en Argentine, et le bétail est d'une remarquable qualité. L'agriculture, qui aurait pu connaître un grand avenir sur cette terre extraordinairement riche, n'a malheureusement jamais été sérieusement développée, l'élevage extensif — laine, viande — et une modeste industrialisation suffisant amplement aux besoins d'une population peu nombreuse. Après la guerre, lorsque des temps plus difficiles succédèrent aux années de vaches grasses, les Uruguayens, légitimement fiers de s'être dotés très tôt d'un système de protection sociale particulièrement avancé et d'une démocratie exemplaire, eurent plus de mal que leurs voisins à affronter les dures réalités d'un monde moins sûr. Tupamaros et dictatures militaires aidant, l'Uruguay, qui se proclamait la « Suisse » de l'Amérique latine, n'en est plus qu'une des provinces pauvres et troublées.

Le phénomène de paupérisation du pays saute aux yeux dès que l'on débarque à Montevideo, capitale dévorante d'un million et demi d'habitants, après avoir franchi d'un coup d'aile, en venant de Buenos Aires, le río de La Plata.

Fondée au XVIII⁰ siècle seulement pour servir à l'Espagne de forteresse avancée contre les

ambitions portugaises, la ville ne possède aucun monument digne d'intérêt, à l'exception, peut-être, de l'ancien Cabildo. Mais un certain style Belle Époque, rococo, cossu et encore plus européen que celui de Buenos Aires, parce que plus mesuré, moins tiré au cordeau, lui conférait un certain charme, où l'animation des rues et des cafés, la bonhomie d'une population très policée comptaient aussi pour beaucoup.

Il est peut-être injuste d'écrire ces choses au passé, mais le plaisir de vivre n'est plus ce qu'il était au temps des brillantes soirées du théâtre Solís, et ce qu'on appelle la « vieille ville », autour de la Plaza Matriz, de la Plaza Independencia entourée d'immeubles à colonnades et de l'Avenida 18 de Julio, souffre d'une mélancolique atmosphère de délabrement.

Restent, évidemment, quelques beaux quartiers résidentiels, des parcs attrayants et le Montevideo de la rambla (« promenade ») du bord de mer et des plages toutes proches. Car la capitale uruguayenne, bien qu'elle paraisse tourner le dos à l'océan, est aussi un port, que prolongent à l'est, vers le grand large, d'agréables villégiatures. Pocitos, Malvin, Playa Honda, Carrasco (où se trouve l'aéroport) vous font glisser progressivement d'une dense urbanisation balnéaire aux agréables villas de style basque, enfouies dans la solitude des pins et des eucalyptus.

C'est ce même décor de « Côte d'Argent » française que, 130 km plus loin, on retrouve, en plus luxueux, à Punta del Este, la plus élégante et la mieux oxygénée des plages latino-américaines. Le « tout Buenos Aires » en a fait depuis longtemps son rendez-vous privilégié, autrement plus chic que Mar del Plata la Parvenue. Lorsqu'on est las des plaisirs du casino, des joies du golf, du polo et du surf, ou même, simplement, du spectacle des belles estivantes qui exhibent leur bronzage sur le sable blanc des grèves interminables frangées d'eucalyptus, de pins et de mimosas, on peut aller rendre visite à la colonie d'otaries paresseuses qui s'ébat, à quelques encablures du rivage, sur l'île de Lobos.

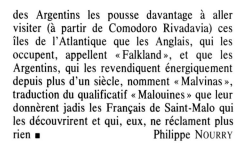

des Argentins les pousse davantage à aller visiter (à partir de Comodoro Rivadavia) ces îles de l'Atlantique que les Anglais, qui les occupent, appellent « Falkland », et que les Argentins, qui les revendiquent énergiquement depuis plus d'un siècle, nomment « Malvinas », traduction du qualificatif « Malouines » que leur donnèrent jadis les Français de Saint-Malo qui les découvrirent et qui, eux, ne réclament plus rien ▪   Philippe NOURRY

▲
Occupées par les Britanniques, mais revendiquées par les Argentins, les îles Falkland sont surtout peuplées par d'importantes colonies de manchots.
Phot. G. Dif-Y. Vallier

▶
Martín Miguel de Güemes est le grand homme de Salta, et, chaque année, le 16 juin, les gauchos se rassemblent devant la cathédrale pour célébrer dignement sa mémoire.
Phot. M. Bruggmann